集英社オレンジ文庫

宝石商リチャード氏の謎鑑定

輝きのかけら

辻村七子

CONTENTS

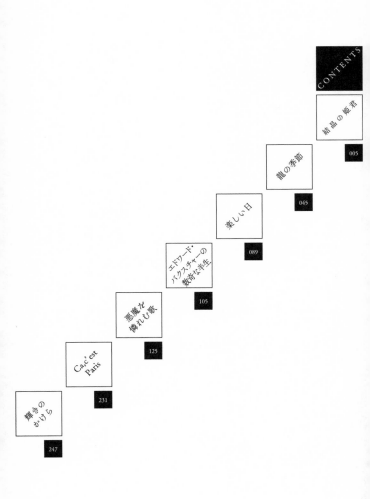

イラスト／雪広うたこ

結晶の姫君

川原結愛《かわはらゆあ》は中学一年生だった。公立岡山東《おかやまひがし》中学校に入学したばかりで、好きな給食はグリーンピースごはんで、好きな科目は理科だった。でも友達にはまだ告げたことがない。グリーンピースごはんではなく理科のほうを。そのほうが話がしやすかった。

「理科はこの世になくていいが。なんであんな暗記するん？　でーれーたるい」

「火山のマグマのねばりけとか、どうでもええわ」

「絶対人生の中で一度も使わんし。英語のテストも漢字テストも嫌じゃけど、英語や漢字はまだ使うわ。マグマのねばりけは使わん」

「それなー。結愛もそう思わん？」

「……うん」

まあ先生はわや可愛《かわい》いけど、と友達は笑った。そしてスマホ――学校に持ってくるのはいいけれど、授業中や休み時間に取り出してはいけないきまりになっている――のアプリで見る、アイドルの動画の話をし始めた。

正直な話、結愛はアイドルの動画よりも理科の授業のほうが楽しかった。マグマのねばりけの違いそのものは、結愛にもどうでもよかったが、そのマグマが固まり、生まれてくる岩や石の違いの話は面白かった。何だか足元がぴかぴか輝き始めて、今まではただ『岩』で『石』だった存在が、新しく生まれ変わったような気がした。社会の授業で見た『家系図』をずっとさかのぼってゆくように、地球という惑星とつながる形に。

家に帰った結愛は、テレビを観ていたお父さんにそのことを話してみたが、あんまり上手に伝わらなかったようで、社会と理科をごっちゃにしちゃだめだぞと笑われただけだった。高校二年生になったばかりで忙しそうなお姉ちゃんには、話をする暇もなかった。中学の友達には、そういうことを話す気にはなれなかった。少なくとも今付き合っている友達には。

「結愛、なんしょん？」

「……ぼーっとしとった」

「もー、天然。次は体育。着替えるよ！」

「待って、今行く」

体操服の入った袋を携《たずさ》え、結愛と友人たちが教室からばたばたと出てゆくと、曲がり角に先生がいて、結愛たちは慌《あわ》てた。みんなで同時にサッと速度を落として、早足のふりをすると、先生は口に手を当てて笑った。

「危ないから、走っちゃだめだよー」

去ってゆく後ろ姿に、先生は声をかけた。歯切れのいい東京弁の、若い女性の先生である。注意されたというより近所のお姉さんに話しかけてもらったような嬉《うれ》しさに、結愛と友人たちは顔を見合わせて笑った。

「『走っちゃだめだよー』じゃて！」

「わや可愛い！」

「『東京からでーれーお嬢さんが来た』って教頭先生が言うとったわ」

「そういうのセクハラにならん？」

「『でーれー仕事できる』っちゅうことらしい」

「はあー！　かっこよすぎじゃろ！」

「仕事のできるお嬢さんって憧《あこが》れるわー」

「『彼氏はおりますかー？』って男子が聞いとった」

「キモ。それこそセクハラじゃが。で、おるの？　彼氏？」

「答えてもらえなんだって」

「あーそれは『おる』バージョンの回答じゃ」

「あんたもキモいが」

「やかましい」

　更衣室の女子たちは声を合わせて笑った。結愛はなんだか谷本《たにもと》先生がかわいそうになった。結愛には彼氏はいなかったし、欲しいと思ったこともなかったが、そういうことを自分の知らないところでたくさんの人たちが噂《うわさ》しているとしたら、少し嫌な気分だった。

　体育の授業のバレーボールは白熱し、給食の時間までわいわい楽しい時間が続いたが、昼休みになると、とたんに教室は静かになった。外に遊びに行かないメンバーは、みんな示し合わせたように昼寝しているのである。最近クラスではやっていて、机の上で腕をくんで枕にしたり、通学鞄《かばん》を机の上にのせて突っ伏したりする。五時間目の授業でうとうとする生徒が少なくなるので、先生もとりたてて邪魔しようとはしていなかった。

いつもは結愛も同じことをするが、今日は眠る気になれなかった。給食のタンドリーチキンがおなかにたまっていたからだけではない。

気になることがあった。

少し迷ってから、結愛は教室を出て、歩きだした。午前中に授業のあった教室である。ゴムパッキンのついた引き戸は、五十センチくらい開いていて、結愛はその隙間《すきま》から教室に入った。理科室である。

昼休みの特殊教室は、しんと静まり返っていた。奥にある理科準備室に、生き物の標本や人体模型があって怖いので、きれいなのに女子の間では不人気な教室だった。

すると。

「あれ、お客さん？　こんにちはぁ」

結愛が教室に足を踏み入れると、首長竜が沼から首を持ち上げるみたいに、実験机の間から誰かが立ち上がった。床にしゃがんで作業をしていたらしい。

谷本先生がいた。

「こ、こんにちは」

「いらっしゃい。三組の川原さんだよね。どうしたの」

結愛は谷本先生が好きだった。新しく入ってきたばかりの理科の先生で、今年退職したおじいちゃん先生とは、全く違うらしい、きらきら星のような人だった。少しウェーブのかかった黒い髪を短いポニーテールにしていて、前髪はヘアピンでとめている。大人びた子たちが教室の隅《すみ》っこで読んでいる、お姉さん向け雑誌のモデルさんのようだった。わや可愛い、というみんなの声を、結愛は思い出した。

でも結愛は、谷本先生が可愛くても可愛くなくても、どっちでもよかった。

ただ彼女から、火山から生まれる石の話をもっと聞きたかった。

だが。

「……落とし物しちゃって」

「落とし物？」

「…………ヘアピン、です」

「どんな色？」

「黒。黒です」

「うーん。私、ちょっと床の掃除をしてたんだけど」

特に落とし物はなかったかも、と谷本先生は申し訳なさそうに言った。中学校に入って結愛が一番感じたことは、先生によって生徒の扱い方がけっこう違うということだった。

まるっきり小学生の時と同じように『子ども』として扱う先生もいれば、お店の店員さんがしてくれるように『別の個人』として扱う先生もいる。谷本先生はどちらかというと後者のようだった。結愛にはその距離感が嬉しかったが、今はそれが申し訳なかった。

「わかりました。別のところで落としたんやと思います。すみませんでした」

「ううん、もう一回探してみよう。私も探すね」

「…………」

そう言うと、谷本先生は再び床に膝《ひざ》をついて、あたりを見回し始めてしまった。結愛はつられて同じことをし始めたが、罪悪感で死にそうなくらい胸がみしみしした。本当はヘアピンなんて落としていないんですと言いたかったが言えなかった。彼氏はいるんですかと尋《たず》ねてちょっかいをかける男子と同じようなことをしていると気づいて、顔から火が出そうだった。

そのかわりに結愛は、先生の名前を呼んだ。

「……あの、谷本先生」

「なあに？」

「…………」

先生は理科が好きなんですか？　石が好きなんですか？　と。

結愛が知りたいのはそれだけだった。

でも言葉が喉《のど》から出てこなかった。

頭は何故《なぜ》か、自宅でのお姉ちゃんとの会話を思い出していた。

先生という先生がみんな、昔から先生になりたかったわけじゃないんだと、結愛はお姉ちゃんから教わった。高校の数学の先生が、自分は研究では食えないから先生になったけど本当はこんな仕事はしたくなかったと言っていたと、愚痴《ぐち》をこぼしていたのだ。お姉ちゃんは「どうでもいい、くだらん」と言っていたが、ショックを受けていたようだった。数学の授業が面白い、好きだと話していた時は輝いていた目が、暗く荒《すさ》んでいたのだ。

谷本先生と親しくなるのが、結愛は少し怖かった。

本当は石も理科もどうでもよくて、岡山で先生なんかしたくなかったんだよねと、もし谷本先生がそんなことを言ったらどういう顔をしていいのかわからないし、せっかくつながった足元の石と地球とのつながりまで、ぶっつりと断ち切られてしまいそうで、それは嫌だった。

しかし、結愛が黙りこんでいる間にも、谷本先生は結愛の顔を見ていた。二人で静かな教室の床に膝をついて、無言で見つめ合っている。何か言わなきゃ、と結愛は焦った。今何も言えなかったら一生後悔しそうな気がした。

「……あの」

「うん」

「……谷本先生は…………」

「うん」

「……い、石、好きですか？」

「え？」

谷本先生は驚いたようだった。結愛はその瞬間、恥ずかしさで爆発してしまいそうになった。先生の「え？」には、結愛をせめるような響きは全然なかったのに、それでも申し訳なくなって、何かが怖くなって、結愛は立ち上がってしまった。

「すみません。なんでもないです。もう戻ります。戻ります」

「ヘアピンは？」

「違うところで探します」

結愛が頭を下げながら、理科室を出て行こうとすると。

谷本先生は立ち上がり、もう一度、結愛の名前を呼んだ。お人形のように可愛らしい、でもどこかに、得体のしれない強さを秘めた瞳で。

「川原さん、今週の土曜日、時間ある？　午前中なんだけど」

「…………土曜日ですか？」

「うん。授業はないんだけどね、理科部で実験をする許可が下りたから、部活動の一環としてやりたいことがあるの。よかったら来てみて。たぶん楽しいと思うから」

「……でも私、理科部じゃありません」

「ゲストはいつでも大歓迎。登校日じゃないし、もちろん川原さんの気が向けばの話だけどね。来てくれたら嬉しいな」

「…………」

「ね」

微笑《ほほえ》みかけられた時、結愛は思わず頷《うなず》いていた。そしてギリギリ『走っていない』くらいの、最高の早足で教室まで戻り、昼寝しているクラスメイトたちの間をぬって席に戻った。


土曜日。

理科部。

谷本先生。

昼休み明けの五時間目の授業は古典だったけれど、結愛の頭にあったのはそのことばかりで、新しい動詞の活用形は、全然頭に入ってこなかった。


土曜日の学校は、違う世界から抜け出してきた廃墟のようだった。静かで、がらんとしていて、誰の声も聞こえない。いつも校庭を大きく使っているサッカー部やソフトボール部の活動がないのは、両方の部が校外試合に出かけているためである。靴《くつ》ロッカーの脇にある学校掲示板に、そう書かれていた。理科部の『実験活動』という予定も。監督者は『谷本晶子《しょうこ》』。しょうこ、というフリガナがふられている。結愛は初めて谷本先生の下の名前を知った。

上履《うわば》きにはきかえて、静まり返った階段をのぼり、理科室に近づいてゆくと、少しずつ声が聞こえてくるようになった。ただわいわい騒ぐ声ではなく、はしゃいだおしゃべりの声が、断片的に聞こえてくる。

扉の小窓のガラスから覗《のぞ》くと、理科室の中は一クラスの半分くらいの人数の男子でうまっていた。うわ、と結愛は後ずさりした。男子ばかりである。男子が怖いと思ったことはなかったが、今日は特別だった。何しろ全員が白衣を着用して、顔面には透明なゴーグルのようなものをつけているのである。異様な集団だった。

理科室に六つある緑色の机に、三、四人ずつ陣取った男子たちは、何かの器具を囲んでいた。ガスボンベのついた家庭用カセットコンロである。結愛の家にもあるタイプの、お鍋をのせてグツグツ煮るための器具だった。

コンロの上には小さな鍋がのっている。中身はまだない。

教卓の前には谷本先生がいた。他の全員と同じように、白衣着用で透明なゴーグルをつけている。気後《きおく》れしていると、谷本先生がぱっと首を動かし、結愛を見て、笑った。うなじで束ねた黒い髪の毛が、ふわっと躍《おど》った。

「川原さん、来てくれたんだ！」

谷本先生は笑って、理科室の扉を開け、結愛を招いた。ゴーグルの集団の眼差《まなざ》しが集中する。結愛は一瞬びくりとしたが、ゴーグルの内側にある目のいくつかには、学校で見覚えがあったので、怖い気持ちはそこで消えた。格好が仰々《ぎょうぎょう》しくても、みんな同じ中学生だ。

谷本先生はハキハキと結愛を紹介した。

「今日は初めて理科部に来てくれた人も多いけど、もう一人新しい生徒さんが来てくれました。一年生の川原さんです。川原さん、白衣とゴーグルを渡すから、着用したら三班に入っててね」

「はい」

結愛は白衣とゴーグル——給食用ではない白衣を着るのは初めてで、びっくりするほど胸がどきどきした——を着用し、左列の前から三つ目のテーブルに急いだ。三班のメンバーは、結愛を手招きしてくれた。何をしているところなのか尋ねそびれてしまったことを思い出したのは、班の中に入ったあとだった。

振り返り、教室の黒板を見ると、チョークできれいな文字が書かれていた。

ビスマスの結晶作成。

「……ビスマス？」

「金属じゃが」

結愛の隣にいた、少し背の高い男の子が説明してくれた。一度も見たことのない、くりっとした瞳の子で、どうやら上級生のようだった。

「谷本先生の説明では、ビスマスいう固体を鍋で溶かして、また固めて、結晶を作ったら、でーれー面白い形になるんじゃと」

「へえ……！」

それじゃあ始めますと言って、谷本先生はテーブルを巡回し、四角い、授業で使うマグネットのようなものを配り、バラバラと鍋の中に入れた。バレンタインに作るチョコレートの湯煎《ゆせん》のような雰囲気だった。ただし熱するものは、チョコではなく金属のチップである。

あらかじめ決められていた班長に「頼んだよ」と声をかけ、谷本先生はコンロに火をつけた。カチッと音がして、教室の中にガスのにおいが漂い始める。大きな換気扇がわんわんと音を立てて回っている。

「みんな、火には十分注意してね。今から二七〇度まで熱くするからね」

「二七〇度？　って何度じゃ？」

隣のテーブルの班の男子が、突拍子もない大声をあげると、結愛に実験の説明をしてくれた男の子が怒鳴り返した。

「二七〇度は二七〇度じゃ！　あほ！」

「あ、そうだねえ、松田《まつだ》くんの疑問も当然かも。天ぷらをする時のあげ油の温度が、大体一七〇度くらいだから、あの油鍋よりもっと熱くなるってことだよ。気をつけて」

「天ぷら……わからん。わし料理しない系男子じゃから」

「せえや。時代の流れ的にせえや」

「やかましい、あきら。兄貴がめちゃめちゃ料理するんじゃ、キャラかぶりするじゃろ」

「天ぷら油の温度くらい想像つくじゃろ。まったくこれだから博人《ひろと》は。なあ先生」

「うーん、でも私も、中学生の時には、天ぷらなんてあげたことなかったなあ」

「そこは俺をフォローしてくださいよ！」

生徒たちはわははと笑い、結愛は驚いた。男子というのは教室の隅に集まって、むっつり顔をして、こっそり漫画を読んだりしているよくわからない存在だったが、理科室の中にいる男子たちは、女子たちと同じくらいおしゃべりで、むっつり顔ではなく楽しそうに笑っていた。

谷本先生は、ゆるんだ空気をひきしめるように、こほんと咳《せき》ばらいをした。

「みんな気をつけてね。火傷《やけど》したら、すっごく痛いし、私も悲しくなっちゃうから」

中学生たちは、まるで小学生に戻ったように、はあーいと揃《そろ》って返事をした。谷本先生には不思議な力があるようだと結愛は思った。

もう一つ、と言うように、谷本先生は人差し指を一本立てた。

「理科部のみんなにはもう一度確認。岡山東中学校、理科部の目標は？」

「『理科は楽しく、安全第一』」

結愛と、何人かの生徒を除いた十名ほどの声が揃った。谷本先生は嬉しそうに頷いた。

火は燃え続け、鍋の中のチップは少しずつ柔らかくなっていった。本当にチョコレートみたいだと結愛は思った。金属製のチョコレートである。金属の中から徐々に、いろいろな色が浮き出してくるように見えるのが、結愛は不思議で仕方がなかった。

ゴーグルごしに鍋の中を覗き込んでいると、誰かがちょんちょん、と結愛の肘《ひじ》を小突いた。

「え？」

「なんしょん？　誰？　わしは理科部の松田博人。二年」

さっき博人と呼ばれていた、声の大きい男子だった。結愛はびくびくしながら答えた。

「一年の、川原結愛です」

「へえーっ、一年生！　よう来たね。実験の日に来られるなんてラッキーじゃ」

「……理科部って、どんなことしてるんですか？」

「いろいろ。谷本先生が来てから、活動内容が広がって楽しいんじゃ。海に行って石を拾ったり、拾ってきた石をトンカチで割ったり、崖《がけ》の地層を見たり、あとは」

「これもそうじゃな」

これ、と鍋を指さしているのは、結愛の班の面倒見のいい男の子だった。博人はにかっと笑った。

「こいつは上竹《うえたけ》あきら。わしら二年の理科部同士、仲良しのお友達じゃ」

「気持ちわる。それより博人、自分の班に戻れよ。危ない」

「まあまあ。新人さんに優しくしておいて損はないって兄ちゃんも言うてたし。このビスマスの結晶づくりも、谷本先生の提案なんじゃ」

「へえ……」

「あっ、まず。先生来よる。戻るわ」

「さっさと戻れ」

谷本先生はテーブルの間を巡回し、火の勢いや鍋の状態をチェックしていた。歩く時白衣の裾《すそ》がすうっとなびく様子に、結愛は少しみとれた。

部活動、とくに文化系の活動が、顧問の先生次第で変化することは、結愛も中学に入って実感していた。演劇部の顧問の先生は、大学時代に演劇サークルに入っていたとかで、やたらと指導に熱が入っているそうだし、かと思えば文芸部の先生は自由放任タイプで、生徒に許可を求められた時「うん」と言うだけだという。そして帰宅部、部活動をしていない生徒も、岡山東中にはそこそこ多かった。大体は塾が忙しいためである。

今までは結愛もその一人だったが、特に塾が忙しいわけではなく、いろいろと決めかねていただけだった。

谷本先生の姿を眺める結愛に、あきらは隣から説明してくれた。

「ビスマスは金属じゃ。原子番号八十三番。和名は蒼鉛《そうえん》。俺、けっこう理科は好きなほうじゃけど、先生に教えてもらうまで、そんな金属があることなんか全然知らなんだ。あんたは？　知っとった？」

「し、知らなかったです」

「よかった、超エリートやったらどうしようと思うたが」

あきらはハハハと笑い、ビスマスの結晶づくりの要点を話して聞かせてくれた。結愛はなんとなく、この人はすごく成績がいいんだろうなと思った。

まずはビスマスのチップ、四角い磁石みたいなものを、鍋に入れる。

鍋を加熱し、ビスマスの融点、二七〇度まで熱する。

ビスマスが液状になったら、火を止める。

そうしたら液体の中にピンセットを入れて、もう一度固まり始めたビスマスの結晶を、ピンセットで引き抜く。

ビスマスの結晶のできあがり。

みんなは結愛が教室に入る前に、谷本先生の準備した動画で、ひととおりのプロセスを確認したようだった。ビスマスの結晶が、どんなものなのかも想像できているらしい。でも結愛には全てが未知の世界だった。

とはいえやることといえば、徐々に崩れてゆくビスマスのチップをスマホで撮影することくらいだったので、理科部でなくてもそれほど気後れするような場面はなかった。谷本先生は、部活動中にはスマホを使っても構わない、しかし何かに気を取られている間に怪我をしたり、友達に怪我をさせたりする可能性のあることを十分理解している人だけ使いなさい、と言った。長く取り出している人はほぼいなかった。結愛も十分注意しながら、パシャッと一枚写真を撮り、すぐにしまった。

十分もしないうちに、ビスマスは溶けた。

「じゃあみんな、火を止めたら、ピンセットで一番上に浮かんだ被膜を剝がして、配ったお皿の上に置いてね。そのあとにピンセットを入れて、中にある結晶を摑《つか》みだしてみましょう。お鍋がひっくりかえらないように注意ね！」

理科室の面々は、再びはーいと声を揃えた。

トップバッターはあきらだった。銀色の液体がドロドロうずまく鍋にピンセットをつっこむと、何か硬いものに触れたようで、おおーっと声をあげた。やかましいが、という声が、六班の博人からとんでくる。結愛は笑いそうになったが、あきらの顔は真剣だった。

「ある、何かある、すごい、すごい」

「摑めそうか？」

「余裕や。ちょい待ち」

じりじりとピンセットで鍋の底を探ったあと、あきらはえいっと引き上げた。

ピンセットの先端には、タマムシの羽根のような、虹色に光る物体がこびりついている。キャラメルくらいの大きさの、立方体をいくつも組み合わせたような角ばった形で、迷路のような幾何学模様までついている。ホームセンターで売っている、用途不明の工業製品のようだった。

およそ液体の中から出てくる物体とは思われない、宇宙人の置き土産《みやげ》のようだった。

班のメンバーはうおーっと声をあげ、結愛もつられてうおーっと叫んだ。

「何かくっついてきた！」

「ピンセットの先っちょがビスマスでガビガビじゃが！　これどうするんじゃ！　谷本先生、これもう使えんくなるんか！」

「大丈夫だよお。もう一回、融点まで加熱すれば、ビスマスは液体に戻るから。みんなで順番に摑んでね」

あきらは金属の皿の上に、誇らしげに自分のビスマスの結晶を置いた。そして結愛を見て、笑った。

「次、あんたがやれや！　でーれー楽しいが」

あきらに差し出されたピンセットを、結愛はおっかなびっくり受け取った。こんなこと、ぽっと入ってきたばかりの自分がしてしまっていいのかとあたりを見回したが、みんなビスマスの鍋に夢中になっていて、結愛のことなど誰も気にしていない。

なんとかピンセットを操って、底のほうから小さな結晶を取り出した時、結愛は小さくため息をついてしまった。ほっとしたのと、嬉しいのと、何か不思議なものの誕生に携わってしまったような感動で、何も言葉が出てこなかった。順番待ちをしていた男の子にピンセットを回して、結愛は結晶を金属の皿の上に置いた。隣にはあきらの結晶があった。

「今日の実験も面白いが！」

「うん。面白いね。あっ、面白いですね」

「中学生同士、べつに敬語なんていらん。理科部はみんなタメ口きいとるよ」

「そうなん……ですね」

「律儀な人やな！　まあ敬語でも別にええが。気にすることでもない」

あきらは楽しそうに笑い、ビスマスつまみが班を一巡すると、よっしゃと笑いながら再びピンセットを受け取った。

時間が経つにつれて、ビスマスは大きな結晶を生み出すようになった。冷えて固まってきたからだ、と結愛は思った。中学生の結愛でも、考えれば理屈がわかる法則で、初めて目にする金属が固まってゆくのを目にして、結愛は胸がどきどきした。白衣に袖《そで》を通した時よりもずっと興奮した。

　三度目の結愛のチャレンジには、大きな手ごたえがあった。液体に向かって釣りをしているような、奇妙なことをしている気がして、結愛は笑いながらピンセットを引いた。

　にゅうっと銀色の水面から顔を出したのは、メタリックに輝く、迷路のようなビスマスの結晶だった。ピンクと緑の色が鮮やかで、他の結晶よりも少し色味が多い。

「でかい！」

「大きいが！　やったな、一年生」

「はい！」

　ころん、と金属皿の上に転がしたビスマスの結晶は、他のどの班員が取り出したものよりも大きかった。色合いも鮮やかで、結愛は嬉しくて泣きそうになった。

　この結晶は、結愛がピンセットで掴みだすまで、世界のどこにも存在せず。

　中学一年生の女の子の手によって生み出された、世界で一つだけの石で。

　結愛にはそれが奇跡のように思えた。

　ビスマスが固まりきってしまうと、再びコンロに火をつけて、溶けたらピンセットで掴みだし、固まりきっては火をつけというプロセスを、結愛たちは三回繰り返した。理科室のテーブルがビスマスの博覧会のようになり、みんながわいわい騒ぎ始めた頃合いに、谷本先生はぱんぱんと手を叩いた。

「はーい、一旦手を止めてください。今日の実験はここまで。片付けをしましょう。各班の代表の人、廃液を先生の机まで持ってきてください。コンロは鉄の部分がまだ熱いので、触らないで。そのまま置いておいて」

「先生、ビスマスはどうするん？」

「自分でつくった結晶は、持って帰っていいですよ。でもビスマスは比較的柔らかい金属だから、ぶつけると壊れちゃうかもしれないので、それだけ気をつけてね」

やったあ、という声が教室に溢《あふ》れた。結愛も少しほっとした。標本が理科室に展示されるとしても、それはそれでいい気分がしそうだったけれど、家に持って帰ってお姉ちゃんに見せてあげたいという気持ちのほうが強かった。

廃液の入った鍋と、ガビガビのピンセットを受け取って、理科準備室に置いてくると、谷本先生はにっこり笑って、ゴーグルを外し、黒板の前でチョークを持った。

「それじゃあ、コンロが冷めるまで、少しビスマスの話をしましょうか。みんな、ビスマスはどうしてこんな形をしてるんだと思う？」

「神さまが物好きじゃったから」

博人が挙手をして発言し、教室はわっとわいた。そんなわけなかろう、とあきらは大きい声でツッコミをいれて、博人はちょっと恥ずかしそうに頭をかいた。しかし谷本先生は、真面目に博人の声を受けていた。

「ね。ひょっとしたらそうかもしれないね。自然界には元素が……みんな元素って覚えてる？　一年生の時にやった、物質の最小単位のことだね。その元素が、今のところ発見されているだけで一一八こ、実際には一七三こあるんじゃないかって言われているんだけど、それを全部神さまが作ったんだとしたら、途中で面白くなって、ちょっと風変わりな結晶をつくり始めたとしても、そんなにおかしくないよね」

「神さま不真面目じゃが」

「ううん、とっても真面目だと思うよ。みんなそれぞれ属性が違うんだもん。いわゆる『キャラかぶり』っていうのが、全然ないの」

それから谷本先生は、黒板にジャングルジムのようなものを描いて、金属の結晶構造について話してくれた。谷本先生曰《いわ》く、元素はそれぞれ、仲間を集めて大きな形になる時――つまり結晶になる時――集まりやすい形があるのだという。ビスマスの場合は、それが迷路のような幾何学的な形であり、いつも理科室の瓶《びん》の中で固まっているミョウバンの場合は、正八面体なのだという。ジャングルジムは、金属の分子が手をつなぎ合った状態、つまり金属のかたまりの図解であるそうだった。そのうちきちんと授業で扱う話なので、今はわからなくても大丈夫だよと谷本先生が言ってくれて、結愛は少しほっとした。

先生はそれからも、金属の話をしてくれた。分子の構造の話や、叩けば叩くだけどんどん伸びる金の話など。その中で一度も「ここは受験に出る」とは言わなかった。集中力を欠いてきた生徒たちをひきつける魔法の呪文のように、大抵の先生方は『テストに出ます』『頻出《ひんしゅつ》です』という言葉を使ったが、谷本先生はただ、面白そうに金属の話をしているだけだった。まるで追いかけているアイドルの話をするお姉ちゃんのように、SNSの面白いトピックの裏話でも披露するように。そして何故か時々、異様なほどダンディな顔をして、はっとしたように照れ笑いをした。

「そろそろお昼の時間になっちゃうね。部活動は午前中の枠で申請しているから、そろそろ撤収しないといけない時間です。カセットボンベを抜いて、コンロとボンベ、両方を教卓まで持ってきてくれたら、それで終了です。みんな、おつかれさまでした。気をつけて帰ってくださいね」

「ありがとうございましたー」

コンロとボンベを片付けても、男子たちはなかなか帰ろうとしなかった。谷本先生と話したがっているようで、でもどんな風に話しかけたらいいのかわからなくて、お茶を濁すように理科の質問をしたりしている。やっぱり人気の先生なんだな、と思いながら、遠くから眺めていると、谷本先生は結愛に気づき、にこにこしながら近づいてきてくれた。結愛は緊張した。

「川原さん、おつかれさま。どうだった？　楽しめた？」

「…………は、はい」

「それ、川原さんのビスマス？　大きいのができたねえ！」

谷本先生は大きなビスマスの結晶に喜んでいるようで、結愛までつられて嬉しくなった。

「……面白い形ですね」

「そうなの。みんな面白がってくれるかなって思って、計画してみたんだけど」

「面白かったです」

「ありがとう。またこういう活動ができたらいいんだけどね」

「俺たちも企画するから、先生は大船に乗ったつもりで構えていればいいが」

「ありがとう、博人くん。心強いよ。理科部はしっかりした子が多いから、私もいろいろ助けてもらってるんです」

　博人はみるからに嬉しそうにふんぞりかえり、隣のあきらを呆《あき》れさせていた。結愛も笑いそうになり、心がほろっと緩み、何故か不思議なことを考えた。

手の平にのせたビスマスの結晶を見て、結愛はぽつりと呟《つぶや》いていた。

「……これ、インドの、枯れ井戸みたい」

「枯れ井戸？」

「あっ、あの」

　首をかしげた谷本先生の前で、結愛はしどろもどろに喋《しゃべ》った。お姉ちゃんが世界のきれいな写真を集めたＳＮＳアカウントをフォローしていること。きれいな画像があるとそれたこと。

を結愛にも見せてくれること。中でも印象深かった画像に、『インドの枯れ井戸』があったこと。その井戸はまるで、階段ピラミッドをさかさまにしてくりぬいたように、どこまでも地底へ下れる逆四角錐《すい》の階段の形をしていて、それが信じられないくらい美しく見えたこと。

「この、結晶が、そんな感じに見えたんです。すみません、自分で言ってて、わやになってきてしまいました」

「わやって、めちゃくちゃってこと？　そんなことないよ。インドの古い井戸なんだよね。私もその井戸の画像、友達に見せてもらったことがあると思う」

確かに似てるね、と谷本先生は頷いた。男の子がいい例えをした時と同じような、認めてくれる顔をしていて、結愛は心がぱっと温かくなったのを感じた。

「写真を見せてくれた友達って、どんな人ですか」

「ああ、えっと、ちょっと面白い仕事をしてる人なの。スリランカに家があって」

「すりらんか？」

「インドの近くにある島国。お茶の名産地だよ」

「……インド……その人は、何をしとる人ですか？」

「えっと、宝石商だね」

ほうせきしょう。ってなんだろう、と結愛は内心首をひねった。少なくとも結愛の知り合いにはいないジャンルの何かだった。ほうせきしょう、ほうせきしょう、と結愛は心の中で繰り返し、あとで検索する時まで、その言葉を自分が忘れないことを祈った。

「世界にはきれいなものが本当にたくさんあるよね。階段状の井戸みたいに大きなものも、ビスマスの結晶みたいに小さなものもある。でもそれって、気づかなければそのまま通り過ぎちゃうものだと思わない？」

「それは、そうだと思います」

　ＳＮＳで考えてみるとわかりやすい話だった。お姉ちゃんの紹介がなければ、インドの枯れ井戸のことなど知りもしなかった自信があった。何しろＳＮＳには無数の写真があり、興味をひかれなければフリックで即「次」である。谷本先生は笑った。

「『きれい』や『すごい』って言葉は、魔法の呪文みたいだね。それがなければ、井戸は井戸だし、石は石だけど、もし『きれい』『すごい』って思ったら、特別な意味を持ってくれるもの。自分の周りに広がる、とっても大きな世界に橋をかける、呪文なのかも」

　谷本先生は白衣姿のまま笑っていた。魔法の呪文の意味は、結愛には半分くらいわからなかったが、もう半分はわかったような気がした。

「川原さん、この前、私に質問してくれたでしょ」

「え？」

「『石が好き？』って」

「あ、は、はい」

　先生がそんな言葉を覚えていてくれたことに、結愛は驚き、先生が笑っていることに、もう一度驚いた。みんながみんな好きで先生になるわけじゃない、という言葉を吹き飛ばすような、明るい笑顔だった。

「好きだよ。大好き。私ねえ、中学生の時、鉱物岩石同好会の会長をしてたの」

「……こうぶつがんせき？」

「石大好きクラブみたいなものだと思ってもらったらいいよ」

「そうなんですか」

「そうなの。私ね、石が好きすぎて、理科の先生になっちゃったの」

「…………………」

「あ、もちろん、石に関係ない単元のことも、きちんと教えられますよ。っていうか、石に全く関係ないものって、この世界には存在しないんじゃないかな？　私はそんな風に思うんだけど……ああ、また石の話をしちゃったね。ごめん」

「いえ」

　結愛は食い気味に言った。谷本先生はちょっとだけ不思議そうな顔をして、博人とあきらも結愛を見ていた。

　言うなら今だと、結愛は勇気を振り絞った。

「谷本先生……あの……私も、石大好きクラブ、やりたいです。理科部、入ってみたいです」

結愛がそう告げると、何故か谷本先生の後ろにいた博人とあきらが拍手をした。え、え、と結愛が挙動不審になっていると、谷本先生がぱあっと笑った。

「ほんと？　嬉しいな。博人くん、あきらくん、女の子が入ってくれるって」

「聞こえた、聞こえた！　よっしゃー！　あきら、ハイタッチや」

「するか。理科室では『安全第一』じゃ。しかしめでたいな。女子がおらんと、文化系の部活は肩身が狭いから」

「……そうなの？」

「そうや！　生徒会の女子に『男部』とか呼ばれてなあ。差別やわ。ソフト部やて男部じゃろが」

「女子ソフト部と男子ソフト部があるけえ、そりゃ片方は男部じゃろ」

「あ、そうか！　いや、川原さん、勘違いしないでな。男部とか言われてもな、理科部はむさくるしいところと違うが。みんなどっかしらヘンなところはあるけど、楽しくて気のいい変人ばかりでな、とってもアットホームな職場じゃ。週休二日で有休もとれる」

「職場やない、部活や。すまんな川原さん。こいつの兄ちゃん芸人でな、大抵いつもこんな感じなんや」

はあ、と結愛が頷くと、笑っていた谷本先生は結愛の前で理科室の丸椅子《いす》に腰かけた。視線の高さが合って、結愛は少しどきりとした。わや可愛い、という友達の言葉を思い出してしまった。

「簡単に理科部の活動を説明するね。活動場所はこの理科室で、週に三回。メンバーの気になることをみんなで調べたり、許可をとってから実験をしたりして、模造紙に活動をまとめたりしています。いつもできるわけじゃないんだけど、月に一度は実験か、課外活動もあります。川で石を拾ったり、水質調査をしたり。今度は露頭《ろとう》に行ってみるつもりなんだけど」

「……楽しみです！」

谷本先生はもう一度笑い、まるで天使のようだと結愛は思った。男子二人はどこか呆れたような顔で先生と結愛を見ていて、結愛はなんとなく、お正月の親戚の家に遊びに行った時のことを思い出してしまった。谷本先生と男子二人は、年のはなれた姉弟《きょうだい》のようだった。

そこで結愛はぽつりとこぼした。

「……あの、なんで理科部には、女の子おらんのでしょうか。前はいたんでしょうか」

「うーん、私は今年赴任してきたばかりだから、去年までのことはわからないけど」

「おらん。うちは兄貴もここの中学で理科部じゃったが、女子はおらなんだって言うとった。兄貴はネタづくりの時間がとれるけえ理科部に入っとったそうじゃが……ほら、女子って理科系きらいやろ？　理系に進学する女子も、男子に比べたら少ないし。やっぱ理科は男子向けの学問なんと違う？」

「お前そういう話を生徒会でしたらボコボコやぞ。生徒会長はリケジョや。数学オリンピック目指しとるゆうたじゃろ」

「ま、まあ、たまにはそういう変わり種もおるけえ、レアキャラじゃ」

「ふーん。じゃあ、理科の先生になっちゃった私は？」

「う」

ほれ、とでも言いたげな顔で、博人はあきらに睨《にら》まれていた。谷本先生はまだにこにこしていたが、結愛はその笑顔から、朗《ほが》らかさ以上の何かを感じ取った。叩いても叩いても砕けずに伸びるという金の話を、結愛は何故か思い出した。

谷本先生はにこにこした顔のまま喋った。

「やりたいことって、人によって全然違うでしょ。でもそれが見えてくるまでには時間がかかるから、なんとなく周りの友達と生活しやすいように、似た科目や似た趣味を選ぶこともあるよね。でも、それから本当に自分のやりたいことが見えてきた時にも、友達がやってないからとか、話が合わなそうだからとか、そういう理由で自分の気持ちを押しつぶすようなことは、私はしないでほしいなあ。だって理科だって、国語や社会と同じくらい、すごく楽しい科目なんだよ。本当に楽しいんだよ。先生になっちゃうくらい」

「……でも理系の女子は少ないゆうデータもあるが。谷本先生以外、理系の先生は全員男やし」

「それも事実だね。でもそれは今、この時点での日本のデータで、将来もそうかはわからないよ？　まあ今は、うん、博人くんの言う通り、ちょっと少ないけど」

「………やっぱり女子は、理科部に入らないほうが自然なんでしょうか」

「ううん。そんなことない。絶対に、ない」

谷本先生はきっぱりと言い切った。

「自然ってね、とても大きなものなんだよ。『理論的にはあるはずだけどまだ発見されていない元素』がたくさんあるって言ったでしょ、ああいう感じに、まだ一部しか知覚できていない、まだわからないことだらけの空間に、人間って生き物は浮かんでいるの。だから『もしかしてこれは自然じゃないかも』って思った時には、自然ってものが、私たちはまだ完全には理解できていないくらい大きいんだってことを思い出して。それを自分で決めちゃうことの『不自然さ』も、ちょっと考えてみて」

「よーするに、先生は『女子が理科部に入るのが不自然なんて考えはおかしい』って、川原さんに言いたいいんじゃゃな」

「うん、そうなの。あきらくん、ありがとう」

「どういたしまして」

何も言えずにいる結愛の前で、谷本先生はちょっと困ったような、照れたような顔で笑い、ええと、と言いよどんだ。

「私は『女の子』じゃなくて、『女の先生』だけど……理科部に川原さんが入ってくれたら、仲間が増えて……ちょっと心強いな」

結愛はささやくような声で、ありがとうございますと言い、頭を下げた。何故か泣きそうになっているのが恥ずかしくて、しばらく頭を上げられなかった。

その後、流れで博人やあきらと一緒に下校することになった結愛は、谷本先生には男友達がいて、その人がほうせきしょうをやっている、という話を聞いた。前に一緒にハンバーグ食べとるところ目撃されとった、あれは彼氏じゃ、と笑う博人に、先生は違うって言うとったが、とあきらがクールに返す。話題はさておき、その場に自分が『自然に』まじっていることが、結愛は嬉しくて仕方なかった。

それじゃまた、またなー、と言われながら二人と別れる時、結愛は何度も手を振った。

「…………」

一人になると、頭の中には再び、謎の職業の名前が浮かび上がってきた。

ほうせきしょう。

宝石はわかる。問題は『しょう』だった。よくわからない。宝石にはなんとなく女の人っぽいイメージがある。それにまつわる仕事を、男の人がやっている。その人は谷本先生の友達で、その人はインドの枯れ井戸を知っている。

全然想像がつかなかった。

でも他にも想像のつかないものが、結愛にはたくさんあった。インドや、スリランカはもちろん、金属の元素の詳しい構造もわからないし、谷本先生の実家があるという東京にも行ったことがなかった。大阪にはある。東京は大きい大阪みたいなところだとお母さんは言っていたが、少なくとも東京の人たちが大阪弁を話していないことは結愛にも明らかだ。

わからないことは、わからないなりに、想像してみる。

『わからないものコレクション』を、少しずつ『わかるものコレクション』に変えてゆくのが、結愛には楽しかった。

ほうせきしょうがどんな仕事であれ、彼が谷本先生の彼氏であれそうではないのであれ、いつかどこかで、ほんのちょっぴりでもその人に会えたらいいなと、結愛はのんびり夢を見た。


「何べん見ても面白い形じゃなあ。ペンダントとかにしいひんの?」

「ビスマスは柔らかいから、身に着けるのは要注意なんじゃて。レジンってもので固める方法もあるって聞いたけど、ようわからん」

「あーレジンな。友達がハマっとる。今度話聞いとくわ」

実験のあった日の夕方、塾から帰宅したお姉ちゃんに、結愛はさっそく作ったばかりのビスマスの結晶を見せた。お姉ちゃんはいたく興奮し、今度百円ショップにこの結晶をいれる瓶を買いに行こうと言ってくれた。最近めっきりお姉ちゃんと出かけることが減ってしまって寂しかったので、結愛は改めて理科部の活動に感謝した。

ＳＮＳのマークの入ったクッションに背中をあずけて、スマホでビスマスの結晶を撮りまくっているお姉ちゃんに、ねえ、と結愛は声をかけた。

「……お姉ちゃん、ほうせきしょうって知っとる？」

「宝石商？　なんで？」

「今日、先生の知り合いの人が、そういう仕事をしてるって聞いた。宝石の仕事ちゅうのはわかるけど、具体的に何をしてる人なん？」

「そりゃあ宝石を売る人のことじゃが」

「宝石を、売る人……」

それはデパートの宝石売り場とか、宝石店で働いている人ってこと？　と結愛は問いかけた。お姉ちゃんは最初、そうじゃ、と頷きそうな顔をしたが、眉間《みけん》にむにゅっと皺《しわ》をよせて考え始め、うんにゃと首を横に振った。

「……『宝石商』は、もう少し専門的なのと違う？　宝石店で働くのは、宝石の会社に就職した社員さんとかやろ。でもその人たちは自分のこと『宝石商』とは思っとらん気がする。宝石商は、なんや、めっちゃ宝石に詳しい人って感じじゃ。宝石を仕入れてきたり、宝石店に卸したりする人って響きじゃ」

「お姉ちゃん、詳しいね」

「ＳＮＳさまさまじゃが」

　ちょい待ち、とハンドサインして、お姉ちゃんはスマホを繰った。また友達と撮ったダンスの動画でも見せられるのだろうかと思っているうち、お姉ちゃんは写真のうつった液晶画面を結愛につきつけた。

　たくさんの緑の宝石が、無数の『いいね』の数と一緒に表示されていた。まるで三連の数珠《じゅず》のような首飾りが、黒いトルソーを彩っている。

「うわ！　すごい！　これはなんじゃ」

「エメラルドの首飾り。『ガルガンチュワ』いうお店の新作ジュエリーじゃが。デザイナーさん日本人女性なんじゃて。憧れるー。絶対買われんけど見るだけならタダじゃ」

「へえー……！」

「このブランドに卸す石を見つけてくる、ストーンハンターちゅう人たちがおるんじゃって。その人たちはきっと『宝石商』じゃ」

「……石をとってくる人なの？」

「想像やけど、たぶん石を掘り出すのは別の人やないかな？　で、宝石商はその人たちから石を買って、ガルガンチュワみたいな大きい会社に卸売りする。仲介業？　みたいなもん？　と違うかな」

「仲介業ってなに？」

「ざっくり言うと、三人のリレーがあるとするじゃろ。一番目と三番目の走者をつなぐ、二番目の走者。それが仲介じゃ。二人をつなぐご商売。わかった？」

「……なんか、わかった気がする」

「ふふん。姉ちゃん現代文の成績、５やから」

「そういうとこうざいわ」

「つらー」

　結愛は改めて、お姉ちゃんの端末に表示された、エメラルドの首飾りをまじまじと見つめた。ビスマスの結晶とは種類の違う美しさで、しかしその美しさも、つきつめれば『石』によって生み出されたものである。

　人間が石と出会い、その石を組み上げて作り上げた、美の世界。

　ぽっと、笑っている谷本先生の姿が浮かんだ。

「……この首飾り、理科の先生に似合いそう」

「あー、あんたの学校の人気の先生な。宝石つけてチャラチャラって感じ?」

「ちゃう。全然、違う」

　珍しく決然とした口調の結愛に、お姉ちゃんは驚いたようだった。私はもう中学生になったんだよと示すように、結愛は少しだけ胸をはり、にこりと笑ってみせた。

「谷本先生は……宝石とお話できそうな人じゃが」

「なんじゃそりゃ」

「何となくそう思うただけじゃ」

「へーえ」

　ちゃかすでもなく、そういうものとして受け止めてくれるお姉ちゃんの存在に、結愛は感謝した。これからもきっとそうだろうと思えた時、結愛の心は決まった。

「で、うち、理科部に入る」

「え、理科部?　男しかおらんて、さっき言うとったじゃろ」

「それは、そうだけど……うちが入ったら女もおる部になるじゃろ」

　そしたらあとから女の子入ってくるかもしれん、と結愛がもごもご言うと、お姉ちゃんはにっこり笑った。夕飯は好物のカレーよとお母さんに言われた時よりもっと楽しそうに笑っていた。

「そうかあ！　入るかあ！　いや、入りたがってるのはわかっとったけど。入るかあ！　結愛は勇気あるなあ。マジで尊敬するわ。でも男ばっかで嫌気がさしたら相談しい。土日ならお姉ちゃんついてってたるから」

「…………」

「あ、泣きそうになっとる」

「なってない」

「なっとる」

「なってない」

きゃーきゃー騒ぎながらじゃれ合ったあと、夕食を食べ、結愛はお姉ちゃんからエメラルドの首飾りの写真をスマホに転送してもらった。何度眺めてもきれいで、すごくて、ため息が漏《も》れてしまうような石の連なりだった。下のほうに書かれている英語のキャプションを翻訳《ほんやく》アプリで日本語にすると『むかしインドの王族が持っていた宝石を、依頼によりリメイクしたものです』と書かれていた。インド。スリランカの近く。谷本先生の友達がいる国の近く。

魔法の呪文だと谷本先生が言った『きれい』、『すごい』。

そのおかげで、心の中の枯れ井戸の底から、そっと水が湧いてきたような気がした。

龍の季節

ドラゴン・ボート。龍の頭をもつボート。太鼓《たいこ》の音に合わせて、二十数人の漕《こ》ぎ手が一心不乱に櫂《かい》を漕ぐ。毎年六月、端午《たんご》の節《せっ》句《く》の恒例行事。港町の入り江を、極彩色《ごくさいしき》の龍たちが埋めつくす。赤や黄色の旗を掲《かか》げた漁船の姿。きぜわしい中継の音声。浜辺の喧騒《けんそう》。出店の煙。人いきれ。テレビ中継。風にはためく色とりどりの旗。無数の旗。

ドラゴン・ボートは矢のように進む。急《せ》き立てるような太鼓の音に合わせて、まっすぐ、まっすぐ。海原《うなばら》を引き裂くように。

いつからかは覚えていない。だが、いつからか。

ヴィンセントは龍のレースを苦々《にがにが》しく眺めるようになった。

紛総総其離合兮
斑陸離其上下
吾令帝閽開関兮
倚閶闔而望予

朗読の声が止むと、宝石店の客は大きな拍手を送った。熟練の演者がつま弾《び》く琴の音のような声だった。金髪碧眼《きんぱつへきがん》、淡く紫がかったグレースーツをまとう宝石商は穏やかに一礼した。まるで演技を賞賛された役者のように、硬質な表情で。

「喜んでいただけて何よりです。劉《ラウ》さま」

「完璧《かんぺき》よ。おねだりを聞いてくれてありがとう。どうしても今日はこれをリチャードさんの声で聴いてみたかったの。理由は、まあ、言うまでもないわね。それじゃあ翡翠《ひすい》の件、お願いね。さよなら。さあ、ヴィクトリア・ハーバーまで行かないと！　船で友達が待ってるわ」

「渋滞にお気をつけて」

闊達《かったつ》な劉夫人が出てゆくと、小さな店は途端に静かになった。

宝石店の助手、ヴィンスことヴィンセント梁《ライ》は、跳ねるような歩調で小さくなってゆく夫人の背中を見送り、小さくため息をついた。両手に持った茶器の盆は、出番のないままにお役御免となった。

「奶茶《ミルクティー》、出す暇もありませんでしたね」

「お時間のない中での訪問だったようです。今回は仕方ありません」

「飲みますか？」

「ええ。よろしければ」

白地に赤い花の絵模様のついたティーカップを手に取り、麗《うるわ》しの宝石商は音もなく、甘いミルクティーを口にした。ベーシックな奶茶とも、エバミルクで甘くする香港《ホンコン》式奶茶とも違う『ロイヤルミルクティー』。得意料理になって久しい宝石商の好物だったが、ヴィンセント自身は、一緒に飲もうとは思わなかった。見るからに甘すぎるのである。最初の数度は誘われたが、全て断っていると、宝石商はそれ以上無理にはすすめなかった。

空《から》になった一人分の茶器を受け取り、ヴィンセントは店の奥にある小さなキッチンスペースに入り、空きスペースに盆ごと置いた。閉店時にまとめて片付けるため、似たようなティーセットが複数組放置されている。劉夫人は本日四番目の客だった。その個数だけが、ヴィンセントに来店者の数を認知させた。客人がヴィンセントに話しかけることはないからである。リチャードの容貌《ようぼう》や、彼の用立てた宝石を賞賛することはあるにせよ、『背景』を気に留めることはない。

仏頂面《ぶっちょうづら》を隠しつつ、応接スペースに戻ると、美貌《びぼう》の男はけぶるような笑みでヴィンセントを出迎えた。

「ヴィンス、今日のご予定は?」

「特にありません」

「そうですか。よろしければ、お出かけに誘っても?」

「……いえ、家で父親の面倒を見ますので」

それ以外の用はないという意味でした、というヴィンセントの声を受けると、そうですか、と宝石商は温和に頷《うなず》いた。寂しそうな声を聞き流しながら、ヴィンセントは思い出したように声をあげた。

「そういうそちらは？　今日のご予定は？」

「これからしばらく散歩を楽しもうかと。せっかくのお祭りの日です」

「またナンパされないように気をつけたほうがいいですよ」

「サングラスをかけて行きますので。ああ、これから一週間の予定でしたら、お客さまとのミーティングと、シャウルとの打ち合わせ程度です。来週も似たようなものですが、再来週になると多少忙しくなりますね。一泊二日で日本を訪問いたします」

「……そうですか」

尋《たず》ねてもいないことを、宝石商はよく喋《しゃべ》った。ヴィンセントは頭の中の帳面にそれら全ての予定を書きつけたあと、片付けをすると言って席を外した。本当にそれらの予定を何かに書きつけておくためである。もちろん宝石商の目の前ではできない。携帯電話のメモ機能がありがたかった。

おざなりに茶器を洗いながら、ヴィンセントは一度、携帯端末を確認した。疎遠《そえん》になりつつある友人たちからのくだらない連絡に交じって、一件。

短いメールが入っていた。

『いつもの場所。いつもの時間に』

差出人名は、適当な偽名だった。うっかり誰かに脇から覗《のぞ》き込まれても問題ないように。

『了解しました』

一行書き送って、片付けを済ませ、再びヴィンセントが応接スペースに戻ると、店にはシャウルが戻ってきたところだった。リチャードの上司であり、ラナシンハ・ジュエリーのオーナーで、時々店に顔を見せる隠れキャラ的な『老師《ラオスー》』として客たちに愛《め》でられている。チョコレート色の肌の男は、狭い店内で逃げ場のないリチャードに、土産物《みやげもの》の包みを持ってぐいぐいと迫っていた。

「何度も言いますが、一度くらい伝統衣装を身に着けてもいいのではありませんか。こちらの長袍《チャンパオ》は特上だそうですよ」

「遠慮させていただきます」

「そう頑《かたく》なにならず。エキゾチックな装束《しょうぞく》のあなたは、さぞかし素晴らしい広告塔になるでしょう。あなたが着るなら私も着ます。二人で楽しく地域の文化に親しみましょう。きっと租界《そかい》時代のセットから飛び出してきた俳優のように見えますよ」

「あいにくですが俳優になりたいと思ったことはありませんので」

「そっけない。これ以上は野暮でしょうね。ヴィンセント。あなたはいかがですか?」

いきなり水を向けられ、ヴィンセントは不機嫌な眼差《まなざ》しをシャウルに向けた。

それはいわゆる『コスプレ』の勧誘かと、ヴィンセントは切れ長の瞳でシャウルを見やった。知っていることと知らないことを隠す名人の宝石商は、子どものようにヴィンセントを見返した。はてそれは何でしょうと言わんばかりである。現地雇用枠《わく》のアルバイトはため息をついた。

「…………いかにも大陸の人間ですって顔立ちのやつが着ても、大して面白みはないんじゃないですかね」

「本場という雰囲気で素晴らしいのでは？」

「そろそろ退勤します」

そっけない言葉に、金髪の宝石商が何かを言って引き留めた気がしたが、ヴィンセントは聞こえなかったふりをした。

そして一人、何も言わず、目的地へと急いだ。

香港は大きく二つの地域に分けられる。

古き良き雑多な商店街や住宅街の広がる北側、九龍《クーロン》エリア。

そこからヴィクトリア湾によって隔《へだ》てられた南側、金融街のひしめく香港島エリア。

ラナシンハ・ジュエリーのある北側から南側に渡る方法は、地下鉄からタクシーまで数あれど、『こういう時』はフェリーを使うのがヴィンセントのこだわりだった。最も所要時間が長く、最もメランコリーな旅路になる。どうしてこんなことをしているんだと自分に問いかけ続ける時間がなるべく長いものを選んだ結果そうなった。

何度繰り返し、どれほどの時間問い続けても、すっぱりと割り切れる答えは出ない。

わかっていても、ヴィンセントは地下鉄やタクシーを使う気にはなれなかった。

香港有数の観光地、尖沙咀《チムサーチョイ》に到着し、ヴィンセントはいつものホテルに足を踏み入れ、呻《うめ》きたくなった。観光客でごったがえしているのである。植民地時代の優雅なラウンジが名物であるというのに、ディズニーランドのような混雑だった。

本当にこんなところにいるのかと、再び端末を確認すると、新しいメールが一通入っていた。

部屋番号である。

面倒なことを、と苛《いら》つきつつ、ヴィンセントは順番待ちの末にフロントから電話をつないでもらい、該当《がいとう》の部屋に案内された。ネオンとボートレースが一望できる、高層階であった。

扉を開けてすぐ、ソファとテーブルの置かれた応接スペースには、極上のスーツ姿のビジネスマンが待っていた。

「こんにちは。お元気でしたか」

よどみのないブリティッシュ・イングリッシュに、ぴかぴかに磨《みが》かれた革靴《かわぐつ》。

ジェフリー・クレアモントは、常に同じ、整った笑顔で、ヴィンセントを迎えた。

「ぼちぼちやってます。でも、どうしてこんな日にわざわざ部屋をとったんです」

「今日だからこそですよ。ラウンジは大変な賑《にぎ》わいでしょう。密談の『み』の字もできない」

「フロントで聞いた様子だと、本当に宿泊される予定だとか」

いつものようにすぐ帰るものかと、とヴィンセントが零《こぼ》すと、金茶色の髪の男は朗《ほが》らかに笑った。いつもしらふのくせに、いつでも何かに酔っているような男だった。

「今日は端午節というお祭りの日なんでしょう。香港有数の大きなフェスティバル。すぐ帰るなんてもったいないじゃありませんか！　こういうのは楽しまないと。豊かな人生には楽しみが不可欠ですからね」

「…………」

「さてヴィンセント、僕の可愛《かわい》い従弟《いとこ》の予定を教えていただけますか？」

「……了解しました、ジェフリーさん」

「ああ、やっと名前で呼んでくれた。実はそれも楽しみにしていたんですよね。いつ認めてくれるのかなあって。はは。嬉《うれ》しいですね」

「…………」

再生ボタンを押されたレコーダーのように、ヴィンセントは宝石商の『今後の予定』を、そっくりそのままジェフリーに喋った。肘《ひじ》掛け椅子《いす》で脚《あし》を組んだ男が、その一つ一つを大きな液晶画面の端末に指先で入力してゆく。メールしたほうが早いなと思ったが、こうした一つ一つの手続きをジェフリーは重んじているようだった。顔を合わせ、口頭でやりとりし、後戻りのできない道を進んでゆく。香港で行商。日本滞在。動向に変化はなし。

最後に内容の確認をし、ジェフリーは満足げに微笑《ほほえ》んだ。

「いやあ、今回も助かりましたよ。どうも。やっぱりそろそろ移動を考えているのか」

「『やっぱり』？」

「一応把握《はあく》してはいましたから。あなたの他にも、僕はいろいろな筋からあいつの身辺をあらっているんですが、どうも最近、今のレジデンスを引き払おうとしているような動きが目立ちましてね。近所の人に家具をあげたり、特定の日以降、商談の予約件数が目に見えて減ったり……しかし日本か。とうとう、という感じだな」

「あの人は、日本に何か特別な思い入れが？」

「……話してないのか。まあ、あいつはケンブリッジの日本語学科でしたから」

「あなたも日本語を解することと関係があるのかと思っていました」

「これはただの趣味。多才なセレブって魅力的でしょう」

ハリウッドスターがカメラに向けるような微笑みを、きっかり一秒、浮かべて消して、ジェフリーは椅子から立ち上がった。ヴィンセントにも同じように立つことを強《し》いる、権力者のみに許された優美な命令の所作《しょさ》だった。

「今日もおつかれさまでした」

「……………どうも」

握手を交わした時、金茶色の髪の男は、いつもと同じように、ヴィンセントの手の平に紙を一枚滑り込ませた。ざらりとした独特の触り心地の紙で、銀行で換金できるサイン入りである。

「ではお気をつけて。ああ、それから」

思い出したようにヴィンセントの両手を握り直した男は、眉尻《まゆじり》を下げ、目元に哀愁《あいしゅう》を漂わせた笑みを浮かべ、温もりを含ませた声で告げた。

「お父さま、早くよくなるといいですね」

「………………では」

「はあい」

従弟の情報をヴィンセントから買い続ける男は、いつまでも笑顔を浮かべたまま、裏切り者を見送った。

時間をおいて三度電話しても、マリアンには一度もつながらなかった。午前中は家事労働、昼は仲間たちと慌《あわ》ただしいランチ、午後は買い出しと再びの家事労働。梁家のハウスメイドであるマリアンが多忙であることはわかっていた。ヴィンセントの父が病《やまい》に倒れ、ほとんど寝たきりの状態になってからはなお。

それにしても一度くらいは、つながって然《しか》るべきだった。

常であれば絶対にコールバックのあるべきタイミングに、四度目の電話もつながらなかった時、ヴィンセントは一度家に戻るか否《いな》か考えて、結局やめた。もしかしたら久しぶりにメイド仲間たちと示し合わせて、銅鑼灣《コーズウエイ・ベイ》にほど近い歩道で、賑やかなランチでもしているのかもしれなかった。端午節の祭りの日である。そうであったらいいのにと思っている自分に気づき、ヴィンセントは自分で自分を笑った。

最近、マリアンは顔色があまりよくない。ヴィンセントは彼女が心配だった。周囲にいる人間のうち、マリアンはほぼ唯一、心配しても心が痛まない相手である。己が父親の身を案じる欺瞞《ぎまん》を、ヴィンセントはよく理解していた。本当に父の快癒《かいゆ》を──末期の症状を呈《てい》する老人にそんな状況があるとして──望むのであれば、ジェフリー・クレアモントから受け取った報酬《ほうしゅう》を、香港脱出の費用ではなく、建前通りの治療費にあてればよいだけの話である。孝行の精神に則《のっと》れば、ただの時間稼ぎであるとしても、それがあるべき息子の姿だった。親の死を待ち望む息子などというものは、どの国、どの文化の倫理《りんり》観に照らし合わせても、褒《ほ》められたものではないはずである。

母は死に、他に兄弟姉妹もない。

ヴィンセントには他に家族がいなかった。

職場の『仲間』であるリチャード・ラナシンハ。彼を案じることは喜劇だった。大丈夫かと声をかけつつ、不調の原因を知ったら喜んでその情報を金に換えるのである。醜悪《しゅうあく》だった。

ヴィンセントは考えるのをやめにした。そもそも誰かを心配しなくても死ぬわけではない。何故《なぜ》誰かのことを心配したいと思っているのかも、考えれば考えるほどわからなかった。父に失望して以来の長年の夢、アメリカへの旅立ちという目的があるにせよ、裏切りに裏切りを重ね、何を裏切っているのかもわからなくなりつつある今、考えすぎることは精神的な自殺になりかねなかった。だから何も考えず、少しずつ増えてゆく預金残高だけを、自分自身の到達点だと思っていればよかった。背が伸びてゆくことを無邪気に喜ぶ子どものように。

全て見ないふりをして、ことが終わるまで金を稼ぐことにだけ集中するのが上策だった。

リチャードは香港を出てゆくつもりでいるという。

そのことをヴィンセントには何も言わず。

それを寂しいだの、相談してほしかっただのと思うことは、そもそも危険だった。

いわば己はリチャードの敵であると、ヴィンセントは自分に言い聞かせた。敵とは相容《あいい》れない相手を示す言葉である。であればこそ情報を売ることもできる。私情も挟まない。挟む意味もない。逆に考えれば、同情するべきではない相手は皆、敵ということにしてしまえば、心の重荷から解放される。

不可解な心の迷宮に迷い込みそうになった時にも、それだけはしっかりと、コンパスのように保っていなければならなかった。

最近のヴィンセントが思い出すのは、今は亡き祖父のことだった。内戦中は二重スパイであったが、戦後にはその意味を忘れ、かつて敵であった『同胞《どうほう》』に自分の来歴を正直に語った末、軽蔑《けいべつ》され、爪《つま》はじきにされ、孤独に死んだ人間である。祖父のように自分勝手な情に流されて、夢と現実を混同するような真似《まね》だけはしてはならなかった。許してもらえるはずがないのに、許されると思い込んで胸の内をうちあけるなど、明らかな愚行である。全て許されるという思い込みを信頼と混同していることもまた、おぞましい勘違いだった。そんな祖父を大好きだった幼い自分を思い出すのが、ヴィンセントには最も耐えがたい苦痛だった。

とはいえもう少しの辛抱《しんぼう》である。

ほこりと人いきればかりの雑踏を、港に向かって歩きながら、ヴィンセントは再び、マリアンに連絡をいれることにした。五度目。呼び出しのコールが五回。まだつながらない。やはり何かがおかしかった。マリアンは時々おっとりしている女性だったが、ものぐさではなかったし、雇用主の息子の呼び出しを無下にしたこともない。

「…………」

やはり家に戻ろうと思った、その時、ヴィンセントは不意に名前を呼ばれた。

「ヴィンセント」

テノールの美声。一切のためらいのない、切れ味の鋭いナイフのような声。

雑踏のど真ん中で振り向くと、チョコレート色の肌の紳士が立っていた。

「……シャウル老師。どうしてここに」

「神出鬼没が宝石商の常ですので。少々お話をしても?」

「今ここで、ですか。ごみごみしてますけど」

「場所はともかく、タイミングは今をおいて他にありません。そうでなければあなたの持っているその小切手について、お尋ねする機会を失ってしまいますから」

瞬間、ヴィンセントは胸に手をつっこまれ、心臓をそのまま抉《えぐ》り出されたような気がした。

「…………」

抉り出された透明な心臓を携《たずさ》え、背の低いスリランカ人は静かにヴィンセントを見つめていた。

「どうやら図星ですね」

「……図星って……かまをかけたんですね」

「歩きながら話しましょう。バスの中も地下鉄も、いやはや、湾の周辺は大変な人です」

「これから用事が」

「陳腐《ちんぷ》な言い方をさせていただくなら、私に付き合ったほうが、あなたのためだと思いますよ」

それは脅《おど》しかと尋ねる前に、シャウルはヴィンセントに先立って、大通りを歩き始めてしまった。ボートレースは既《すで》に幕が開いており、決勝戦に挑むチームを決める予選大会が華やかに催《もよお》されている。九龍半島の半ば、尖沙咀を北上した場所にある太子《たいし》は、若者から老人まで、安くてうまい飯を求める人々のための下町だった。『プリンス・エドワード』という英語読みの名前が、今はまるで似合わない。

無言で歩き続け、スーツの男が入ったのは、昔かたぎな風情《ふぜい》を残したままの飯店だった。落ち着いた雰囲気の茶芸館かどこかに入るのだろうと思っていたので、ヴィンセントは面食らった。他の客は観光客の女性ばかりである。

「ここは」

「ミルク・プディングの店です」

「いや、それは見ればわかりますが」

「心配しなくても、私の他には誰も待っていませんよ」

ヴィンセントが言葉に詰まると、シャウルはためらわず店に入り、隅《すみ》にある小さなテーブル席に陣取った。

リチャードから広東語《カントン》を習いつつも、日常会話は英語で済ませてしまうシャウルは、スチームド・ミルク・プディング、ホット、と指を二本立てて注文した。そこそこの有名店ではあるものの、地元民が足しげく通う価格帯の店ではないため、ヴィンセントには初めて入る店だった。日本語にも対応しているメニュー表を裏返すと、名物のジンジャーミルクが、『ゾンヅヤー』ミルクと書かれている。多言語検索が容易になったこの時代に、こんな店がまだあったのかと、ヴィンセントはふと懐かしいものに出会ったような気がした。

客人を待たせる気がない香港らしく、着席した数秒後には、二人それぞれの前に小さな白い椀《わん》が置かれた。店の名物と思《おぼ》しき表面に薄い膜のはった牛乳プリンである。まだ湯気を立てていた。

「……あつあつ、というレベルではなさそうですね」

「ホットはやめて、アイスにしておけばよかったのに」

「そう悪くもありません。熱さましの間に簡単な話くらいはできます」

「何を。俺は食べますよ。温かいうちに食べるのが好きなので」

「では手始めに、あなたが先ほどホテルで会っていた御仁《ごじん》について。いかがです」

「………………」

白い磁器のスプーンを持っていたヴィンセントの手は、空中で止まった。

魚のように感情のない眼差しで、スリランカ人の老師は言葉を続けた。

「あれは、私の敵です」

正確に言うならば私の弟子の敵です、とシャウルは付け加えた。

この男は何をどこまで知っているのかと、ヴィンセントが胸の内で考える間に、シャウルは食えない笑みを浮かべていた。

「どこまで知っているのか、と？　さあ、それはあなたが真実をどこまで知っているのかによります」

「俺よりもいろいろ知っていると言いたいんですか」

「それもまた、あなたの認識に依拠するとしか申し上げようがありませんね。件《くだん》のことを私が責めているとお思いなのであれば、ご心配なく。私は商人です。ギブアンドテイク、資本主義経済のやり方には慣れています。しかし私は商人でありつつ、あなたの雇用主であり、多少は庇護者《ひごしゃ》のような存在でもあると自負しています」

「いや、そんなことは」

「自負しています」

「……俺の認識は関係ないってことですね」

「おわかりであればよろしい。その上で一つ、お知らせしておくのが筋かと思いまして」

「筋ね」

そんなものが今更存在するのかと、ヴィンセントが皮肉っぽい笑みを浮かべると、シャウルは瞳に強い光を宿した。地平線の向こうから昇る、黒い太陽のような眼光に、ヴィンセントはひるんだ。

「…………何ですか」

「あれは、全て知っていますよ」

「は？」

「あなたが、自分の従兄《いとこ》と内通していることを」

あれ、と。

シャウルが名前を出さずに告げた相手の顔が、ヴィンセントの目の前に浮かび上がってきた。麗しの宝石商。はかなげな微笑み。けぶるような金色のまつげ。遠い背中。

それが全て知っているという。

それが、何を？

何を知っていると、この男は言ったのか？　と。

表情を凍りつかせたヴィンセントに、シャウルは畳みかけた。

「わかっていてあなたに情報を与えている。その意味がわかりますか」

「…………何を言ってるんですか」

問いにもならない問いを得て、シャウルは答えを投げて与えた。

「この期に及んで、あなたに小遣いをやりたいと思っているのですよ、あのバカ弟子は」

ヴィンセントは不意に、体を真空に投げ出されたような気がした。上下左右がわからず、身体感覚がおぼつかない。

めまいの気配を殺して、目を見開いて見返したチョコレート色の肌の紳士は、泰然《たいぜん》とした顔つきで、湯気の立つプディングを口に運んでいた。ふう、ふう、と二回吹いて口に運ぶ。

「うむ。素朴《そぼく》な甘さですね。グッド」

「…………何故、そんな、こと」

「あなたと仲良くなれると思ったのでは？」

というのは冗談として、というシャウルの言葉を、ヴィンセントはあらんかぎりの凶相《きょうそう》を浮かべて聞いた。あなたは格好いいけれど凄《すご》むとそのぶん怖いからやめてというハウスメイドの言葉を思い出し、慌ててうつむくと、シャウルは微《かす》かに笑ったようだった。

「驚いた顔などおやめなさい。こうなることを、あなたはどこかで覚悟していたはずです」

「……別に驚いたわけじゃない」

「左様ですか。念のために言い添えておきますが、バカ弟子が自らあなたというネズミの存在にたどりついたわけではありません。あれはただ、心ない告げ口を聞かされただけです。自分で自分の身を守るという概念が、どうもあれには希薄で困る」

「告げ口って、誰が」

「言うまでもなく、私の所業です。後悔はしていません」

今度こそヴィンセントは眉間《みけん》に深い皺《しわ》を刻んだ。シャウルは声をあげて笑ったが、混雑した店内では、大して目立つこともなかった。

「蛇《じゃ》の道は蛇《へび》です。あなたに声をかけてきた人物のことを知ったのも、私なりにさまざまな意味で身辺の安全をかためようと思っていたゆえです。足場というものは底の底、一番下の地面に近い場所から盤石《ばんじゃく》にするに限ります。崩す時も同じですね。どちらの立場にせよ、土台にこそ気を遣わなければならない」

「土台だか何だか知らないが、俺があの嫌味な金持ち男の『足場』だとでもいうのか。そんな関係になった覚えはない」

「真実ではないことは認めましょう。しかし百パーセントのフェイクであると言いきれますか？」

「…………………」

ヴィンセントが言葉に詰まると、シャウルは穏やかに言葉を連ねた。

「……ヴィンセント。私はあの男とは家族でも友人でもないただの宝石商です。ですがあれは私に多少の恩義を感じているでしょうし、ゆえに私もあれとの間に多少の縁を感じている。そういう間柄の人間としてあなたに忠告します」

「そんなものはいらない」

「聞くだけはただですよ。ヴィンス」

「いらない」

「あなたはリチャードを、早急に嫌いになるべきです」

不意に横面《よこつら》をはられる、のではなく、撫《な》でられるような言葉だった。

困惑しつつ、ヴィンセントは次の手に迷った。それはどういう意味なのかと尋ねれば、再びこの老練な梟《ふくろう》のような男の術中にはまってしまいそうだった。だがそれは沈黙を貫いても同じである。いずれにせよ既に、ヴィンセントは手の平の上だった。

仏頂面を取り繕《つくろ》い、ヴィンセントは鼻で笑うように告げた。

「………嫌いになるって言われましても。そもそも、そんなに好きでもないんですけど」

「それは珍しい。あれを嫌いになれる人間はなかなかいないというのに」

「感情なんて、究極の個々人の持ち物じゃないですか。好き嫌いに意味なんてあるんですか？　意味のわからない忠告です」

「私もそのように思いますが、今のあなたの場合は別です。そのほうが将来的には安全であると判断した上、提言しております。あなたはリチャードを嫌いではないでしょう」

「好きでも嫌いでもないと思います」

「それは嘘《うそ》です。あなたはあの男に憧《あこが》れている。いや、憧れを抱いていた」

「どれだけ美人だったとしても、三次元の男の顔には興味ないです」

「そのような表層の意味ではないことくらい、あなたは百も承知でしょう」

一際《ひときわ》低い声に、ヴィンセントは無言で応じた。

ヴィンセント梁にとって、リチャード・ラナシンハとは、美しい偶像であり、暗黒面への入り口のような男だった。

父が病に倒れた最中、ラナシンハ・ジュエリーへの勤務をヴィンセントはやむなく一カ月停止した。それまでのヴィンセントの業務は、客人にお茶を出すこと、店の掃除をすること等の雑用に加え、翡翠と珊瑚《さんご》の値踏みを手伝うことだった。だが一カ月の休業のあと、それがリチャードの温情ゆえに『手伝わせてもらっている』ものだったことに、ヴィンセントは気づかざるを得なかった。ヴィンセントが不在にしたところで、店舗の運営には何の支障もなかったからである。

自分の無力さにショックを受けたわけではなかった。

ただ、いつも嫋《たお》やかで、どこかで誰かの助けを求めているような線の細い男が、実のところ誰の助けも必要としない鋼《はがね》の人形であると、気づかなかった己の傲慢《ごうまん》にショックを受けていた。

自分はこの男の助けになっていることに、ある種の充足感を覚えていたのだなと、ヴィンセントはその時に悟った。恋の自覚と失恋が同時にくるような感覚で、その時初めてヴィンセントは誰かのことを憎いと思った。これほど尽くしたいと思っているにもかかわらず、その実尽くさせる気のない相手に好意を抱いてしまったことを恥じた。興味本位で卒業した大学を尋ね、何でもないことのようにケンブリッジだと回答された時のように、生きている場所が違うのだと知りつつ、その意味をまるで理解していなかった自分を憎んだ。

この男にとって、自分はいてもいなくてもいいのだと。

自分にとってのリチャード・ラナシンハという存在とは、まるでつりあわない重量の存在なのだと。

ジェフリーと名乗る男が声をかけてきたのはそんな折だった。どんな方法でもいいからリチャードの人生の中に自分の名前を残してやりたいというでたらめな心境と、恐ろしくマッチした申し出に、ヴィンセントはどこか夢の中にいるような心地のまま乗り、乗り続け、気がつけば船から降りられなくなっていた。

あなたはそのことに気づいていますかと、シャウルの声は尋ねるようだった。

「ヴィンセント。あなたの心と行動は、真逆とまでは言わないものの、ちぐはぐな方向を向いている。そのまま進めば待っているのは、体が二つに千切《ちぎ》れるような結末です」

「わかるようなわからないような言い回しはもう勘弁してください」

「結構。では言いましょう。嫌いになれない人間のことを、売ろうなどと思わないことです。それはあなたの魂《たましい》の一部を切り売りするに等しい。個々人の感情同様、売ってはならないものです。以前お話ししたように、私は医療従事者としての顔も持っています。そのような人間の前で、緩慢な自殺をしようなどとは思わないように。見過ごすことはできません」

緩慢な自殺。

その言葉は何故か、ヴィンセントに病床の父の姿を思い起こさせた。とてつもない欺瞞に、ヴィンセントは己の首を引きちぎりたくなった。父は死など望んでいないにもかかわらず、息子によって死を待ち望まれている、ただの哀れで無力な男である。緩慢な自殺などではなく、緩慢な殺人だった。

ひょっとしたら自分も、多かれ少なかれ、今の父と同じような状況にいるのだろうかと、ヴィンセントはふと考えた。狭い部屋の中の白いベッドに横たわり、まんじりともせずにいる土気色の肌の男の顔が、一瞬、鏡の中でよく見る誰かの顔になった気がした。無為な人生を送り、無為に苦しみながら、やがて訪れる死を待つだけの何かに。

夢のために足元の安定を売り払うとするのならば。

その夢の目的地には、一体何が待っているのか。

何のための人生だったのか。

マリアンの顔が脳裏をよぎった時、ヴィンセントは息継ぎを思い出したスイマーのように、はっとため息をつき、笑ってみせた。

「……考えすぎじゃないですか？」

「であればよいのですが」

「…………」

「私が見たところ、あなたにはあまり、悪人の素質はありませんよ」

「……嬉しいお言葉です、って言っておけばいいんですかね」

「判断はお任せいたしますよ。しかしヴィンセント、そろそろプディングにも目をやってさしあげなさい。ホットではなくなってしまいます」

「どうでもいい。そもそも何でこんな店に連れてきたんですか」

「もちろん私のアイディアではありません。リチャードです」

「は？」

「どこでもいいからどこかの店にあなたを連れてゆくようにと」

シャウルはいくつかの候補店リストを渡されていたという。その一つがこの店だったと。

意味がわからず混乱しているヴィンセントに、シャウルはどこか、我が子の行動に呆《あき》れる親のような口調で語りかけた。

「あれはあなたの好みを知りたいそうです。甘いものが好きか、それともからいものが好きか」

「……いつの話ですか」

「つい最近です。もちろん」

「………あいつは俺が何をしているのか知っているんでしょう？」

「無論です。しかしご存じないかもしれませんが、あの男は筋金入りのバカなのです。あなたが従兄に情報を売っていると知ったあと、彼のあなたへの認識がどう変化したのか教えて差し上げましょうか？　ナッシング。何も変わっていません。『それがどうした』と言うこともできるでしょう。おわかりですか？　リチャードの中で、あなたはあなたのままなのです」

「…………馬鹿《ばか》にされてるのか」

「あるいは『信頼されている』と言うこともできるでしょう」

「どうして」

「言ったでしょう。バカなのですよ」

それはいわゆる、聖人の別の言い方ではないのかと、ヴィンセントは思ったが言わなかった。そんなことを言ったら自分の存在が、聖人の言行録を飾るためだけの愚《おろ》かな凡人になりさがるような気がした。

つまり今までのところ、自分は自分のことを、選ばれた人間だと思っていたのだなと、ヴィンセントは認めざるを得なかった。ようやくか、という気分がどこかにあるのが滑稽《こっけい》でみじめで、少し悲しかった。

シャウルに促《うなが》されるまま、ヴィンセントは白いプディングの椀をもちあげ、流しこむように食べた。ほどほどにあたたかくて、ほどほどに何の味もしなかった。食べれば食べるだけ太る、人間らしい体質のヴィンセントにとって、甘いものは生活の敵だったが、今となればもう何を食べても同じ味しかしない気がした。

店の人間が長居の客に嫌な顔をし始める頃に、シャウルは会計をすませ、ヴィンセントを伴《ともな》って店を出た。店の外は相変わらずの世界が広がっていて、それをおかしいと思っている自分を、ヴィンセントは笑ってやりたくなった。どこか遠くへすぐに行きたかった。

「ヴィンス。どうかしましたか」

「……俺は、免職《くび》ですか」

「何故？　情報を売られている当人が、そうと知りながら何ら問題視していないというのに。私にとってもあなたは大切なクルーです。可能であれば、これからもラナシンハ・ジュエリーのために働いていただきたいと思っています。仮にリチャードが、この香港を去ったあとも。あなたさえそれでいいと思ってくださるのであれば」

ヴィンセントにはシャウルの問いに答える意味があるとは思えなかった。ジェフリーとの密会を知っている以上、ヴィンセントが香港を出ようとしていることも把握していてもおかしくはない。何も聞かなかったような、どうでもいいという顔を取り繕ったあと、そういえば、とヴィンセントは切り出した。

「あいつは……リチャードは、今、どこにいるんでしょうね」

「さあ。本日の午後は休業です。散歩をすると言っていましたが、端午節の香港で『散歩』をするとなれば、行き先は決まっているようなものでは？」

「…………」

「今回お話ししたことを、よく考えなさい。あなたの人生はあなたのもので、誰しもが同じことではありますが、一度きりしかないのです。さながらやり直しのきかないスポーツの試合のように。それでは失礼」

シャウルがどこへ去っていったのか、ヴィンセントにはよくわからなかった。香港はどこもかしこも人で溢《あふ》れている街である。かつては迷宮都市などとも呼ばれた東洋の真珠であった。その中で自分が一体今どこにいるのかわからなくなるような感覚を、ヴィンセントは生まれて初めて味わった。


ヴィクトリア湾に程近い大通りは、殺人的と言うにもあまりある人出だった。レースゾーンの外側に浮かぶ船の所有者でもないのに、波打ち際に近い場所まで出ることができたのは、ほとんど奇跡としか言いようがない。父やマリアンとボートレース観戦をしようとした時には、これほどいい場所に陣取ることはできなかったのに、もうやめて帰ろうと思っている今日のような日には、何かに導かれるように海辺へ追いやられる。ヴィンセントは皮肉っぽい笑みを唇に浮かべた。

色とりどりの旗でいっぱいの漁船やフェリーボートは、まるで水上生活者の邸宅のごとく、湾内をあますところなく飾り立てていた。空にひるがえる三角旗の黄色、桃色、赤色。香ばしい屋台のにおい。人いきれ。今年もやはり消防士のチームが強いらしいという雑談の切れ端。子どもの泣き声、笑い声。拡声器から響き渡る英語の場外アナウンス。蜃気楼《しんきろう》の中に巻き込まれたように、ぼんやりとしているうち。

ぱんという音が青空に響き渡り、歓声が爆発した。

レースのはじまりである。

横並びに四艘《そう》、並んだボートは勇壮に走った。槍《やり》のように細く、龍の頭をもつ舟が、湾の中央を不乱に駆け抜けてゆく。既に予選を経て、勝ち残ってきたのは猛者《もさ》たちばかりである。二十四人の漕ぎ手たちは、太鼓の音に合わせて、一体となった櫂さばきを見せている。水しぶきをあげて動く高速のパドルは、角度から高さまでまるで同じ、ロボットのように動いた。そうでなければ無駄な抵抗が生まれてしまう。一かきに一秒も要さない、一糸《いっし》乱れぬ集団舞踊のような絵巻だった。

人とボートが一体になったように、龍舟は疾走した。

人は漕ぐ。舟は走る。

一切の打算も妥協もなく。

波しぶきをたてて、まっすぐに。

そこには他に、何もなかった。

大歓声によって、ヴィンセントはレースが終わったことを悟った。全てがまるで幻の中の出来事のようにぐにゃぐにゃとゆがんでいて、だからこそ、ボートの向こう側に見えた人影にも現実感がなかった。富豪が所有しているのであろう白いフェリーボートの甲板席《かんぱん》。あまりにも美しい顔立ち。風と波しぶきの向こうにゆらめく金色の髪。青空よりも淡い、曇天《どんてん》の空よりも澄んだ瞳。

リチャード。

スーツ姿の男は、レースではなくヴィンセントを、遠くから見守っているようだった。かげろうのような姿の中に、ヴィンセントは限りない悲しみの影を見た。何故、と問うでもなく、責めるでもなく、ただ眺めていた。

決して相容れることのない、遠くにある異邦人を眺めるような眼差しで。

我に返ったヴィンセントが、ようやく何か言いかけた時には、幻のような麗人《れいじん》の姿は、もうどこにもなかった。

その日、ヴィンセントは久しぶりに夢を見た。暗闇《くらやみ》の中をさまよう以外の夢を。

虹色に輝く夜空の中を、神話の生物たちと一緒に駆けてゆく夢である。

ああ自分にはこんな夢を見ることがまだ許されているのだと理解しながら体感する、最初から夢とわかりきった夢だった。

紛総総其離合兮——紛《ふん》として　総総《そうそう》として　其《そ》れ離合し
斑陸離其上下——斑《はん》として　陸離《りくり》として　其れ上下《しょうか》す
吾令帝閽開関兮——吾帝閽《われていこん》をして関《かん》を開か令《し》むるに
倚閶闔而望予——閶闔《しょうこう》に倚《よ》って予《われ》を望む

幻の獣《けもの》たちとともに、集まったり離れたりしながら空を駆け、
集まったり離れたりしながら上下して飛んでいく。
天帝の門の前にたどりつき、門をあけてもらおうとしたが、
門番は扉にもたれかかって、自分を眺めるばかりであった。
古代中国の政治家、屈原《くつげん》による作品集『楚辞《そじ》』。その代表作とされる詩、『離騒《りそう》』の一部。

リチャードがラナシンハ・ジュエリーにおいて、顧客に朗読をせがまれた詩、そのものであった。四書五経《ししょごきょう》の一つである詩経の次に古い文学とされ、詩聖杜甫《しせいとほ》にも愛読された『文選《もんぜん》』にも収録されている。内容は、幽玄《ゆうげん》の詩であった。

中国文化圏で暮らしていれば、否《いや》が応《おう》でも幼い頃に読まされるポピュラーな詩である。朗読をきっかけにイマジネーションがはばたいたのも無理はない話で、その夜のヴィンセントは、空想上の龍や、鳳凰《ほうおう》や、翼のはえた虎たちの引く小舟に乗った夢を見た。夜空を上昇したり下降したり、仲間たちと群れたり離れたりしながら飛び続ける、星の世界をゆく旅である。

怖いものなどどこにもないと。

心の底からそう思い始めた頃合いに、藍《あい》色の夜空の果て、鈍《にび》色の雲の向こうに、黄金色に輝く門が見えてきた。あの門をくぐりさえすれば、本当に何もかも夢がかなうと、そう思わせる煌《きら》びやかな天界の門だった。観音開《かんのんびら》きの大きな扉は、数千年の昔に栄華を誇った古代王朝の玉座を思わせる威容だった。

その扉の、合わせ目に。

藍鼠《あいねず》色の長袍《チャンパオ》姿の麗人が立っていた。

ヨーロッパからやってきた宝石商、リチャード・ラナシンハ氏である。

シャウルの申し出に、着せ替え人形には絶対にならないと主張していたリチャードとは、このリチャードは違う男なのかもしれないと、ヴィンセントは直感した。黄金の髪飾りと黒曜石《こくようせき》の簪《かんざし》にいろどられた冠、柄《つか》に珊瑚が象嵌《ぞうがん》された黄金と翡翠の懐剣、金糸銀糸でぬいとられた沓《くつ》に、袍《ほう》の上から下までを埋めつくす龍と鳳凰、花々の刺繍《ししゅう》。人形のように白い顔。後光《ごこう》のように輝く黄金の扉。

上下左右に付き従ってきた幻獣たちが、男の前に次々と膝《ひざ》を折る。誰がボスなのかを心得た所作に、ヴィンセントはのまれそうになった。

黄金色の門の前に佇《たたず》む男が、あまりにも美しいのである。

いっそ恐ろしいほどに。

扉を開けてくれと、言い張る自分の声が、ヴィンセントには聞こえなかった。確かに叫んだはずだったのだが、まるで声にならなかった。あるいは声が小さすぎたのかもしれなかった。

天人のような麗しさを放つ、長袍姿の男は、左右の袖《そで》を合わせた大陸趣味なポーズのまま、軽く首をかしげた。

あなたの言葉がわからないというような素振りに、ヴィンセントは己の夢の潰《つい》える音を聞いた。その眼差しで全てを理解せざるを得なかった。

天人は罪を持たないので、俗世で生きる罪人の気持ちがわからないのである。

罪を犯したことを知って怒ってほしいと願うことはあっても、罪を犯したことを許して小遣いを与えてほしいとは思えない、俗人《ぞくじん》の卑小《ひしょう》さが理解できないのである。

全てを許してほしくなどなかった。

だが彼は全てを許していた。

天人にはヴィンセントの言葉は通じない。然るに天界の扉が開くはずもない。

船は力を失い、幻獣たちは消えた。

ヴィンセントは闇の中に沈み——そこで目が覚めた。

軽く息を切らしながら、闇の中で体を起こし、ヴィンセントは苦笑した。頭の中に浮かぶのは、小学生の頃の期末テストのことだった。書き取り問題の中に『離騒』が出たのである。この詩を書いたのはどんな人ですかという暗記問題だった。

作者の屈原は、中央での政治にうんざりしていた政治家である。自分は王に正しい進言をしているのに、周囲のつまらない人物のせいでそれが受け入れられないと失望し、南の地に流された。一向におさまらない世を嘆いて、屈原は最後に入水《じゅすい》自殺した。解答終わり。

テストに書いたのはそこまでだったが、その先のことは、テストなど無関係に誰もが知っている話だった。

龍舟の話である。

入水してしまった屈原を悼《いた》むために、周辺に住んでいた漁民たちは、ドラゴン・ボートで漕ぎだしたという。

大きな音をたてて川の水をかき回し、魚を追い払い、偉大なる詩人にして政治家の体が、魚に食われてしまわないように——と。

言い伝えではなく実在の文献から考察すれば、どうやら屈原の入水よりもっと早くから龍舟の伝統は存在するらしい。だが今でも中国文化圏の人間は、ドラゴン・ボートから屈原を連想する。祭りの日に、ラナシンハ・ジュエリーを訪れた客人同様に。

玲瓏《れいろう》たるリチャードの朗読を思い出し、ヴィンセントはこめかみを揉《も》み解《ほぐ》した。さながら天界から降り注ぐ、冷たい銀色の雨のような音だった。

『離騒』は、つまるところ現実逃避の詩だった。現世が思うにまかせない政治家は、現実の顔の上に理想の仮面をつけて、神話の時代の生き物たちと空を遊弋《ゆうよく》する。だが結局のところ、思うようにはいかない。空想の世界で羽根をのばしたとしても、着地点は現実なのである。完全な現実逃避など不可能だった。現世から完全に足を離してしまうまでは。

偉大な文化人には往々にして存在する結末である。でも別に死ななくてもいいのにと、ヴィンセントは幼い頃の自分の感慨を思い出していた。

春秋戦国時代《しゅんじゅうせんごく》などという、とんでもなく昔の人間の話であるとしても、思い通りにならないことがあるからといって死ぬなんて、なんだか強引だなと思った。ちょっとだけ遠くへ行って、もうそれで全部知らないことにしてしまえばいいじゃないかとしか思えなかった。たとえば故国を逃れてきた祖父のように。それでうまくいかないことがあったとしても、自分がそんな風に逃げてきたことを黙っていれば、その土地で新しい楽しみの一つや二つくらい見つけられるはずである。何事も十割の実現を求めるのではなく、五割くらいで満足しておいたほうが——それは父の口癖だった——最終的にはより幸福な人生を送ることができるはずである。知足、すなわち『足るを知る』。何事もほどほどがよいのである。

そうであるはずなのに。

何故か文人たちは死ぬ。不可解なほどに。

まるで生きながらえることこそが、最大の拷問《ごうもん》であると言わんばかりに。

奇妙な夢のイメージと、益体《やくたい》もない回想が去ったあと、ヴィンセントの頭の中に残ったのは、真昼のドラゴン・ボートのレースのことばかりだった。リチャードの顔立ちではない。彼が見つめていたレースのあり方そのものが、頭の中で何度も何度も再生されて止まらなかった。

まっすぐ。

ただまっすぐ。

愚直《ぐちょく》なまでの高速で。

全ての無駄を振り捨てて。

尊敬する誰かを、この世のどうしようもない法則から守るために突き進む。

ああいう生き方も、ひょっとしたらこの世界のどこかにはあるのかもしれないと。

コンコンというノックの音に、ヴィンセントは不意に我に返った。叩き方の力加減で誰だかすぐにわかってしまうノックだった。

狭いロフトベッドから下りて、扉を開けると、案《あん》の定《じょう》立っていたのはマリアンだった。廊下に明かりはなく、手持ちの懐中電灯を明かり代わりにしている。照明器具をつけると、彼女が老闆《だんなさま》と呼ぶヴィンセントの父が起きてしまうのだ。

「ヴィンス、大丈夫？」

明るい茶色の肌と、少し縮れた茶色い髪をもつ工人《ゴンヤン》、住み込みの家政婦のマリアンは、ヴィンセントが少年の時から寝食を共にしている相手だった。気立ては明るく、細かいことは気にせず、しかしプライバシーに必要以上踏み込もうとはしない、およそ共同生活をするためにこれ以上は望みえない相手だった。しかも趣味が合う。彼女がフィリピンに帰ってしまう時にはとても悲しいだろうなと、ティーンエイジャーの頃からヴィンセントは思っていたが、どうやらそれよりも自分が香港を出るほうが先になりそうだった。

父が死んだら、それが新しい始まり。それまでの全てはなかったことにして、離れた場所で新しく始める。

それがヴィンセントの予定表だった。

これ以上しがらみを濃くするのは得策ではないと、ヴィンセントは首を横に振った。

「…………俺の心配をしている場合じゃないだろう。父はどうだ」

「老闇《だんなさま》は大丈夫。あなたの声が聞こえた気がしたから」

ヴィンセントはマリアンには見えないように、軽く顔をしかめた。慣れない夢に、唸《うな》り声くらいはあげたのかもしれなかった。子どもでもあるまいし、とヴィンセントは内心自分の脆弱《ぜいじゃく》さを嘲笑《あざわら》った。

「気のせいだろう。寝てたよ」

「だったらいいけれど……眠れないならホットコーラをつくる？」

「眠れてる。そっちが眠れ。そういえば、今日はどうしたんだ」

何度かけても電話がつながらなかったことを思い出し、ごまかしついでにヴィンセントが話題にすると、マリアンは慌てた。懐中電灯に照らされた顔がこころなし青い気がして、ヴィンセントは眉根を寄せた。

「何かあったのか」

「……いいえ何も。ごめんなさい。ちょっとね。病院にいたから」

「また父の付き添いか。本当にご苦労だな。そっちは休めているのか」

「ええ、もちろん。大丈夫よ。本当に大丈夫。その、それよりヴィンスが心配で」

「俺なんかのことはいい。俺にはもう、本当に、何もかもが足りないんだ」

「…………それ、前にも言っていたけれど、どういう意味なの？」

ヴィンセントは返事ができなかった。

哀れな境遇のリチャードを羨《うらや》んだりしたくない――そうは思っても、多芸多才で眉目《びもく》秀麗《しゅうれい》な相手への羨望《せんぼう》は止められない。

ジェフリーの与える金を欲しいと思いたくない――そうはいっても金は必要である。アメリカに行って新しい生活も始めたい。

やると決めたことなのだから、父に早く死んでほしいと思っている自分を今更恥じたくない――とはいっても心の中では気が咎《とが》めていて、自分で自分の首を絞めるような夢をよく見る。

何もかもが中途半端で、覚悟も忍耐も足りなかった。

ヴィンセントが答えずにいると、マリアンは包み込むような笑みを浮かべ、ねえ、と短く呼びかけた。

「やっぱりホットコーラ、飲む？　レモンもあるのよ。ホットレモンコーラにできる」

「もう十五歳のガキじゃないんだぞ」

「でもホットレモンコーラは好きでしょ」

反論できず、ヴィンセントがむっとすると、マリアンはにっこりと笑った。この笑顔に向かって何か言い返せるやつがいるのならお目にかかりたいと、常々ヴィンセントは思っていた。傍目《はため》から見ても多忙な仕事に身を投じ、それでも笑顔を絶やさない。どれほどのパワーがあればそんなことができるのかと、日々ヴィンセントを考えさせる、太陽のような笑顔だった。この笑顔で介護をする家政婦を日々口汚く罵《ののし》る父が、疎《うと》ましく、おぞましく、かけらも尊敬できなくなったことが、アメリカ行きを後押ししてくれた一因でもあった。何てことをするんだと殴りつければ死んでしまう程度の生命体である。だとすれば早く死んでもらうしかない。それが最善策だった。

「…………………」

まったく隙《すき》があれば自分の行動を誰かのせいにするのだから大変だと、ヴィンセントは心の中で自分を一度殺し、力なく笑った。

「ああ、そうだな。好きだよ。明日飲む」

「よかった。冷蔵庫に全部準備してあるから。おやすみなさい」

「……おやすみ」

最後まで笑顔だったマリアンを見送ると、ヴィンセントの視界は再び、闇になった。

四月の半ばのフロリダ州は、香港の夏のような気候だった。ナッソーやハバナなど、南の海へと発つ、豪華客船たちのつどう港、フォートローダーデールは、さながら夏の海の風情である。どこを見回しても、アジア趣味な龍の意匠など見えない。

じき五月になる。

香港では気の早い龍の祭りの支度が始まる頃だった。

ヴィンセントは仮眠から覚め、ホテルのかたいベッドとぬるま湯のような思い出の中から身を起こした。己を凡人だと理解するのを嫌がっていた頃にはわからず、しかし今は理解できることがあった。生きている限り、誰しもが同じ人間で、どれほど浮世離れして見える人間も『天人』などではないということである。

ヴィンセントは龍舟のレースが今も苦手だった。だが嫌いではなかった。当時の自分の青さも、太陽を見つめすぎて目がくらんだような馬鹿馬鹿しい経験も、すぐ隣にいた人間の孤独に思いをはせることができなかった至らなさも。

深い闇に目を凝《こ》らすことができたのは、最後の最後、麗しの異邦人が日本に向かう直前だった。

お前は寂しい男だと、ヴィンセントが告げてもリチャードは怒らなかった。怒りを知らぬ天人のように、ただ諾々《だくだく》と言葉を呑《の》み込んでいた。だが今のヴィンセントには、彼にはそれしか選択肢《し》がなかったことがわかった。

超然としていたのではなく、ただあまりにも寂しかったのだと。

であればあの時にかけた言葉は間違っていなかったのだろうと、ヴィンセントは思った。

手放すべきではない人間の手は、手放すなと。

はなむけと言うには暴力的だったが、それだけがあの時ヴィンセントの与えられる、唯一のものだった。

ヴィンセントは、自分が『まっすぐ』進んでゆくタイプの人間ではないと自負していた。それを別に良いとも悪いとも思わない。そういうものである。そして自分とは逆に、『まっすぐ』にしか進んでゆけない人間がいることもまた、知っていた。

ヴィンセントが好むと好まざると、無関係に、龍の季節がやってくるように。

身支度を整え、チェックアウトの準備をし、最後に一度端末を覗いたヴィンセントは、不意に口を引き結んだ。親しい相手からのメッセージが一通届いていた。

赤いマグカップに入った濃茶色の液体。

レモンがひときれと、ミントの葉が浮かんでいる。

「…………」

三秒、慈《いつく》しむように画像を見つめて、異国からやってきた男は部屋を出ていった。

楽しい日

「ライブに行きたかったなあー……」

「左様ですか」

「行きたかったなあー……！」

「左様で」

俺の名前は中田正義《なかたせいぎ》。笠場《かさば》大学に通うごく普通の大学生で、今はバイト先、銀座《ぎんざ》の宝石店『エトランジェ』にいる。そして現在進行形で嘆き節の状態だ。

友人の下村《しもむら》と一緒に出向くはずだったギターデュオのライブが、土壇場で中止になってしまった。

理由はライブ会場の耐震設備に問題が発覚したため。壁の大事な部分にちょっと穴が開いていたらしい。このまま使用すると、いつ崩れてくるかわからないという。それは困る。ライブ中に悪い偶然が重なって壁が倒れてくるなんて考えたくもない。ライブはぜひ中止にすべきだ。そしてすみやかに耐震設備の補強工事をしてほしい。常識的に考えてそうすべきだ。そのほうが安全だ。安全第一。安全は大事。子どもでもわかる。わかることだ。

でも。

これは、俺と下村の初めてのライブだったのに。今までよりちょっと仲良くなれるかなとわくわくしていた、お楽しみの行事だったのに。ライブの帰り道にはいい感じの店があると下村が教えてくれたので、そこで飲み食いをして、くだらないことを話して、楽しかったなあという気分を噛《か》みしめながら帰宅する。

そういう時間があるはずだったのに。

良識的、常識的、かつ誰もせめられない理由で、そういう楽しい時間がまるっとご破算になってしまったことが、ただただ、ただただ、悲しい。

やるせない。

でもどうしようもない。

だからこそ際限なく嘆いてしまう。

ギターとも下村とも何の関係もない、優しい上司の前で。

申し訳ないことこの上ない。つまるところ俺はリチャードに甘えているのだ。『左様で』だけだがリアクションをくれるところにこの男の優しさが光っている。いい加減頭を切り替えなければならない。

張りつけたような笑みを浮かべて、俺は顔の左右で両手の平をぱっと広げてみせた。

「……なーんて、な。はは。ごめん。どうしようもないんだから、もうこんなこと言うのはやめるよ。何か楽しいことでも考えるかな！　ライブのかわりに、そうそう、かわりにさ！」

「憚《はばか》りながら、それはおすすめしません」

えっという呻《うめ》き声が漏《も》れそうになった。『左様ですか』と言われるものだとばかり思っていたのに。

バイトの身勝手な悲嘆を、この上司はただ聞き流していただけではないのだと、俺はその時悟った。

リチャードはお客さまと正対する時とよく似た、澄みきった瞳で、俺のことをじっと見ていた。

「かわりという言葉には奇妙なニュアンスがつきまといます。AをやめてBにする、という行為とはまた違い、AがないからBにする、というのとも微妙に異なる。それはまるで、BをAとして扱う、という言葉に近いのではありませんか」

頭の中をアルファベットが乱舞する。ええとええと。この男が言っているのは、言葉の定義の話だ。そのくらい俺にもわかる。AをやめてBにする、はわかりやすい。味噌《みそ》ラーメンはやめて塩ラーメンにする。よくあることだ。ではAがないからBにするは？　これもわかる。味噌ラーメンがないから塩ラーメンにする。

しかし、BをAとして扱う、はどうだろう。

味噌ラーメンは塩ラーメンたりうるか。

いやそもそも味噌と塩は全然違うだろう。その違いを蔑《ないがし》ろにしたら、『ラーメンは全てラーメン』などというラーメン原理主義者に殴り込みをくらいそうなラーメン的暴論がまかりとおることになる。違いは大事だ。ラーメンでも何でも。

これが宝石ならどうだろう。

ジルコンをダイヤモンドとして扱う。ペリドットをエメラルドとして扱う。

それは、欺瞞《ぎまん》――と言うのではないだろうか。

他のどんな宝石とも異なる、リチャードの瞳を眺めながら、俺はそんなことを考えていた。内面のゆらぎが伝わったのかもしれない。美貌《びぼう》の宝石商は表情をゆるめた。

「おわかりでしょう」

「……なんとなく」

「『かわり』はないのです。この世界には同じ宝石が二つとないのと同じく」

「……そうだなあ」

「私は別段、あなたに嘆くなとは言っていません。幸い今はお客さまもいらっしゃいませんし、私はあなたの上役、監督役と言ってもいいでしょう。言いたいことがあるなら、今のうちに好きなだけ言っておきなさい」

「それって、こんなところで好きなだけ嘆かせてくれるってことか……？」

「他に然《しか》るべき場所があるのであれば、あなたの嘆きはきっとそちらに向かうでしょう。ですが私に思いを吐露《とろ》するということは、そういうことでは？　構いませんよ」

「…………情けないって言わないんだな」

「ネヴァー。ありえたはずのものが消えてしまったことを悼《いた》む、そういう行為を日本では

『供養』と呼ぶのでは？　私はそのような行為を興味深く、また尊《とうと》く感じます」

供養。

ライブの供養。初めて耳にする概念だ。不謹慎じゃないだろうか。

と、思ったのは一瞬で。

そのあとにすぐ、俺の中では何かが腑《ふ》に落ちていた。ああ、そういうことか。わかった気がする。

供養するのは、ライブではなくて。

「……ライブに行きたかったなあ」

「左様ですか」

「ライブに行くだけじゃなくてさ、ライブの楽しい雰囲気が、楽しみだったんだよなあ。俺はそんなに、アーティストの大ファンってわけじゃなかったんだけどさ、友達の下村はわりと詳しくて、そういう話を聞くのも面白そうだったし、一度も会ったことがない人たちと一緒に、同じものに熱狂するっていうのも楽しみだったし、大勢の人と同時に音楽を聴く体験なんか珍しいし、何よりそういうのを指折り数えて待つ時間にもわくわくしてたんだよな」

「あなたはコストパフォーマンスの高い楽しみ方を知っている人ですね」

「褒《ほ》められたのかな?」

「もちろんです。しかし、失敬。情緒のない褒め方でしたね」

「いや、俺経済学部だし、そういうの好きだよ」

　俺がそう言うと、リチャードはちょっと変な顔をした。本当にいいのか？　とうかがうような下がり眉毛《まゆげ》に、思わず笑いそうになる。きれいなものを見ると心が癒《いや》されるというが、そういう意味ではこのエトランジェは癒し効果抜群のオアシスだ。なんといっても麗《うるわ》しのリチャードがいるのだから。

「コスパが高いせいかな、そういうわくわくした気持ちの持って行き場がなくて、どうしようもなくなってたみたいだ。『ないんだから仕方ないだろ』って打《う》っ棄《ちゃ》るのは、わくわくがもったいない気がして、申し訳ないような気もして、もうどうしようもなくてさ。お前が言ってた『供養』っていうのは、こういう気持ちを整理してやれってことだったんだな」

「あなたがそう受け取ったのであれば、それが正しい答えなのでしょう」

「おおー、謎に挑む宝石商さんらしい台詞《せりふ》をいただきましたー」

「バラエティ番組の司会者にでもなったつもりですか」

「えっ、そういうテレビ番組もたまには観たりするのか？」

「…………」

「観るのか？」

「社会勉強」

呆れた眼差しに氷のナイフのような声という、中田正義切り捨て二点セットですっぱりと告げて、リチャード氏は愛想のない微笑を見せた。これ以上つつくのは藪蛇《やぶへび》だろう。俺はもう一度、からりとした笑みを浮かべてみせた。今度は作り笑いではない。今の俺は無理をしなくても笑える。

「ありがとう、リチャード」

「……………」

「本当にありがとな。俺、一人っ子だから、兄貴とか弟に何か相談するって感覚は未体験なんだけど、もし本当に兄貴がいたら……こんな感じなのかな。すげー嬉《うれ》しい。リチャードは、兄弟とかいるんだっけ？」

「そろそろお客さまがお越しになります。お茶の準備を」

「かしこまりましたー！」

宝石商リチャード氏のマニュアル。兄弟の話はしないほうがいいらしい。中田正義はまた一つ学んだ。彼は博識で、万国の言葉に通じ、宝石の分野に精通し、甘いものに目がなく、ロイヤルミルクティーに関して非常にうるさい。そして誰よりも優しい。

優しい人間というのは、つらい気持ちをたくさん知っている人だと、俺はばあちゃんから教わった。

そういう人間の気持ちを、いたずら半分につつくような人間にはなりたくない。なりたくないのだが俺はしばしばそういうポカをやらかすので、心のメモ帳に気づいたことをいろいろと書き留めて、ことあるごとに見返さなければならない。そういうことに気づいたのは最近だ。

できることなら俺は、この上司とうまくやりたいのだ。

Aをやめて Bにするということなどできそうもない、このあらゆる意味で『一点もの』の上司と。

でもリチャードの言葉の意味を考えれば、イベントだって宝石だって人間だってみんな一点ものであることに変わりはない。であれば俺がリチャードとうまくやりたいと思う気持ちは、別段『とてもレアな人だから』なんて理由ではないのかもしれない。

この男と仲良くなりたい。

できることならどうして兄弟の話が好きではないのかも、何となくでいいから知ることができるような距離まで。不用意にあいつの心をつつくような真似《まね》はせず。自然に。贅沢《ぜいたく》な話である。

でもそれは俺が一人、心得ていればいいだけの話だ。こんなことを直球で告げたら、さすがの俺でも『えっ何』『この人とはちょっと距離を置こう』と思われそうなことくらいわかる。最悪仕事を失うだろう。それは困る。

冷蔵庫で冷やしておいたロイヤルミルクティーを、お客さま用のカップにそそいで、そっとラップをかける。もう五分か、十分か、そのくらいで予約の時間になる。最近は暑さが身に染みる季節が近づいてきたが、キンキンに冷えたミルクティーをいきなり出されるより、少し常温に近いお茶のほうが飲みやすいだろう。

今後のことは誰にもわからない。俺にできるのは、リチャードの店で、お客さまに素敵な体験をしていただくことを、陰《かげ》ながらお手伝いすることだけだ。そしてできることなら、この美貌の店主をそっと支えつつ。

そういう黒子ポジションお助けマンの功績を『内助の功』と言うんだよなと先日告げたところ、俺は語学堪能《たんのう》な宝石商に怒られた。心のメモ帳にそう書いてある。今日はもう、あれは言わない。いや今日だけではなく、今後は言わないようにしよう。

『あのさあ中田、ライブの日予定空いちゃっただろ？』

連絡は突然だった。俺はバイトの時間の詳細など話した記憶はないのだが、エトランジェの掃除を終わらせて店からあがった午後七時、下村晴良《はるよし》から電話がかかってきた。俺をライブに誘ってくれた友達だ。

ああうんまあ、と適当に答えつつ、銀座の通りを歩いていると、下村は嬉しそうな声で笑い、言葉を重ねてきた。

『その日、一緒に食事行かないか？　ちょっとしたお楽しみつき』

お楽しみ？　何だろう。

「行く、行くよ。すげー嬉しい。実は俺も何か考えて誘おうかと思ってたんだけど、先こされたなー」

『まあ、お互い、残念だったよな』

「そうなんだよ、お前と一緒にライブ行きたかったのにさ」

『えっ中田、お前、俺に特殊な友情感じてくれてる？　うわー泣ける』

「いやあ、どうなのかな、友情って全部特殊なもんじゃないのか？」

『……そういえばそうかもな。とりあえず行こう』

「おう、行こう！」

とんとん拍子で話は決まった。

下村が俺を連れていってくれたのは、新宿《しんじゅく》のデパートの裏手にあるスペイン料理店だった。店の一角に大きなテレビがでんと据えてあるところからして、スポーツバルとしても活用されている場所なのかもしれない。

だが今日は違う。

タンタンタン、タンタンタンタンタンと、景気よく手をうちならし、時にはギターの弦をかき鳴らすギタリストに合わせて、黒いドレスの女性が躍動する。フラメンコだ。

「下村、すごい店知ってるんだな……！」

「まあいろいろあるからさ。中田、こういうの大丈夫だった？」

「だ、だいじょうぶって？」

「いやあほら、人によっては『意味わかんねー』とか言うから」

「うわ、フラメンコってそんな厳密な意味があるのか」

それは確かにわからないと思う、と俺が小声で答えて眉間《みけん》に皺《しわ》を寄せると、下村はぷっと噴き出した。

「いいよ、いいよ。気にすんな。俺中田のそういうとこ好きだわ」

「そ、そうか？　ならよかった！」

「おう。飲もう」

グラスを満たす赤い液体はサングリアである。赤ワインをオレンジジュースでわったものだという。甘いが、微《かす》かにスパイスの味がして食が進む。時々他のお客さんの間から、オレーという声がとぶのは、「いいぞ」という意味だと、下村が教えてくれた。慣れているらしい。

「しもむらぁ！」

「なんだよ」

「今日ここに来られてよかったよ！　ありがとな！」

「……まあ、どうしようもないことは、俺にはどうしようもないからさ」

「そういうの抜きで楽しいよ！」

フィナーレに差し掛かろうとする踊りと音楽にまけじと、俺たちは声のボリュームをあげて喋《しゃべ》った。視線はダンスにくぎ付けだが、狭いテーブルの隣に友達がいると思うと何だか嬉しい。俺たちは見知らぬ人たちと一緒に音楽を聴きながら、一瞬の熱狂を共有している。

下村はどこか得意そうな声で喋った。

「プランAが駄目でもさ、プランBを立てて楽しむ。そういうのが大事なんだぞって、俺の先生が教えてくれたんだ。人生そんなもんだからって。前途有望な青少年に何言ってんだよって助言ではあるけど、まあ、現実主義っていうか、おおらかではあるよな」

「下村、ABのこと、エー、ビーじゃなくてア、べって言うんだな」

「へへへ、いろいろ勉強してるからな。オラー！　ケタル？」

「お、おら……ケトルは、やかん……」

「はは、悪い悪い。でも中田って、ほんと楽しいやつだよな！」

酒の勢いもあり、俺たちはばんばんと背中を叩き合いながら、オレーという掛け声を送った。そして下村は、行けなかったライブのアーティストはマジですごくいいので、また次の機会があったら誘わせてくれと、真摯《しんし》な声で言った。ああ本当にこいつもライブに行きたかったんだなと、俺はじんとしつつ、それほど湿っぽくはならない声で、ぜひ誘ってくれと応じた。

もしかしたらそんな機会は、もうないのかもしれないけれど。

そういうプランを立てるだけでもとても楽しいことを、俺は知っている。

下村と別れた帰り道、山手線《やまのて》でアパートまで向かう途中、俺の携帯はメッセージを受信した。

リチャード。

『今日はいかがでしたか？』

今回に限っては、ありがたさよりも申し訳なさが先立つ。そういえばライブの予定日は日曜日だったから、その日はエトランジェに行けませんと俺は言ったのだ。リチャードは俺の予定に合わせて行商の予定を組んだらしく、銀座のエトランジェは本日休業である。リチャードは出先で忙しくしているはずなのに。

俺はポチポチと、電車に揺られながらメッセージを打ち込んだ。

『とても楽しい日になりました』

最後に感謝の言葉を加えて、俺はリチャードにメッセージを飛ばした。それから三駅通過したが、返信は、ない。

だが俺の中には何故《なぜ》か、リチャードの無言の声が響いている。

それはよろしゅうございましたと告げるような、あの笑みが。

下村の大好きな東京の夜景を眺めながら、俺は美貌の宝石商に思いをはせた。あの世界で一番美しい男は、一体今どこでどんな景色を眺めているのだろう。楽しい日を送ったのだろうか。

そうであったなら、俺はとても嬉しい。

エドワード・バクスチャーの数奇な半生

彼、エドワード・バクスチャーと初めて出会ったのは、スイスの全寮制学校に通っていた頃だった。

夏のバカンスシーズンになっても帰省するめどはたたなかった。家の中が騒がしく、スイスに留まっていたほうがよいだろうというのが父親からの連絡で、その裏側にある「帰ってこられると面倒を見なければならず研究の時間がそがれるので迷惑だ」という意味を受け取らずにいられるほど、私はいたいけな十四歳ではなかった。

仕方がないので図書館にこもった。

しかし図書館にいるのは、自分と同じような、帰る場所のない子どもたちばかりだった。次第に気が滅入《めい》ってくる。

エリーザベト皇后《こうごう》にも愛されたスイスは、風光明媚《ふうこうめいび》な観光名所が多い。朝から晩まで楽しく過ごせる場所にはことかかないし、学校にほど近い街の教会ではパイプオルガンのコンサートも催《もよお》される。

だから夜でも安全だと、不用意にそんなふうに思ったのだった。

無駄に日々の行いが品行方正とされているため、外出許可をとるのは簡単だった。どこへ行くのかという問いもおざなりで、どちらかというと少しくらいは遊んできたほうがよいというニュアンスが漂っていたところがつらかった。恐らく自分はあまり子どもらしく振る舞うことが得意ではない子どもなのだろうと、その時にはもうわかっていた。

夏の街は観光客で溢《あふ》れていた。土色のレンガでつくられた、おとぎ話に出てくるような街並みは、どこもピンクと白の花の鉢植《はちう》えで飾られている。水辺の多い街らしく、川沿いにはレストランが並び、誰かの飼い犬であろう大きな黒い犬が、遊んでほしそうにリードを引きずりウロウロしていた。少し遊んであげようかなと思った時、遠くで飼い主に呼ばれたらしく、犬は身を翻《ひるがえ》して駆け出していった。

夜の街は楽しかった。連れが誰もいなくても、誰かと一緒にいるような気分になれるところが、ちょうどよかった。

迷っていると気づいたのは、実際に迷い始めてから随分《ずいぶん》時間が経《た》った頃だった。

確かこのあたりにコンサートをしている教会があるはずだと思って歩き回るたび、目に入るのはアパートや、ゴミ捨て場や、ひとけのないトンネル道ばかりだった。どうやらあまり治安のよくない住宅街に入り込んでしまったようだったが、抜け出し方がわからない。とりあえずもと来た道を戻ろうかと振り返ると、背後に人が立っていた。

「よう」

十七、八歳の少年は、パーカーを着て野球帽をかぶっていた。繁華な水辺のカフェテラスではあまり見ないような格好で、ガムを嚙《か》みながら喋《しゃべ》っている。

伯爵がたまにそうするように、聞こえなかったふりをして通り過ぎてしまおうと、また回れ右をすると、そこにも人が立っていた。少年の連れのようだった。同じくらいの年恰《としかっ》好《こう》で、バスケットボールを片手に持っている。今度はその少年が喋った。

「ちびすけ、こんなところでどうしたんだ。パパやママは？」

「…………」

「いないのか。一人なの？」

「じゃあ財布を持ってるんじゃないか」

「…………」

「お人形さんみたいにきれいだな。喋れないのか」

「お坊ちゃん、おめぐみをいただけませんか」

断ったらどうなるのだろう、と冷たい汗が背中をつたった。ボクシングの授業は受け始めていたが、それは厳密に年齢体重によって区別されたクラスで、明らかに自分より年上の相手と戦うための訓練とは思えなかった。

どうしたらいいのか、どうしたら、こんな時一人で切りぬけるにはどうしたらと、嫌な予感がぐるぐると渦巻き始めた時。

誰かが横から私の腕を摑《つか》んだ。

「やあエドワード！　エドワードじゃないか」

聞きなれた声の主が、一瞬、誰なのかわからなかった。

金茶色の髪に淡いブルーの瞳、ニットのベストに黒いスラックス。ぴかぴかの革靴《かわぐつ》に、鎧《よろい》のような微笑《ほほえ》み。

「ジェ……ジェイ！」

「そうそう。ジェイだよ。覚えてくれて嬉《うれ》しい」

さっと背後に回り込み、肩を抱いた少年は、年長の従兄《いとこ》、ジェフリーだった。

何故《なぜ》ここに、どうしてあなたがと瞳を見つめても、ジェフリーは相変わらず得意な演劇的な笑みを浮かべたまま、弟分を自分の背後に隠した。

「こんなところにいたんだね。早くしないと待ち合わせに遅れちゃうよ。これ以上待たせると、おじさま怒っちゃうんじゃないかなあ。ほんとに怖いよ、あの人」

「ご、ごめんなさい。今すぐ行きます」

「というわけなので、バーイ！」

守るべき相手の肩をぎゅっときつく抱き、ジェフリーはその場を離脱した。あまりにも明るく、大きな声で応対していたためか、二人が追いかけてくる様子はない。

「…………怖かったです」

「ここを離れよう」

「はい」

生臭《なまぐさ》いにおいが漂う薄暗がりから、誘蛾灯《ゆうがとう》の明かりの並んだ大通りの方向へ、ジェフリーは大股《おおまた》に歩いた。少年は身を寄せて歩いていたが、そうでなくともかたく抱いた腕を離すつもりはないようだった。

「まったく、僕がいてよかったよ」

「……どうして……?」

「どうしてって。僕は君のスーパーヒーローなわけだし、困った時にはかけつけるのが筋じゃない?」

「そういうのじゃなくて、本当のところはどうなのです」

「本当のことを話してるつもりなのになあ、なんてね。ただの偶然。今日は確か、夏休みが始まった日なんでしょ? 僕の学校はもう少し休暇の入りが早かったから、待ち伏せして驚かせてやろうと思ってさ」

学校を訪れたら一人で外出したというから驚いたと、年かさの従兄は朗《ほが》らかに告げた。喋るたびにくるくると表情と声色《こわいろ》の変わる男で、人好きのするという評価と、うさんくさいという評価を、いつも一度に受け入れて笑っている懐《ふところ》の広い男だった。そして自由人の両親の下に生まれてしまった年下の弟分を、風切羽根《かざきりばね》の下にかばい続けている。少年にとっては兄以上の存在だった。

ここにいるのは僕一人だよという言葉に、少年は自分が、ほっとしていることに気づいた。それを隠さなければならない伯爵や、より年上の従兄も、ここには存在しない。

「大丈夫?」

「……いえ、伯爵や、ヘンリー兄さまはいらっしゃらないのだなと」

「お父さまはカンヌだったかな。ハリーはその随行《ずいこう》で顔見せ。社交界はまた忙しいシーズンらしいよ」

「大変なのですね」

「遊びも混じってるんじゃないかな。ああでも、ハリーは真面目《まじめ》だからね。ピアノの練習のほうがカジノより楽しいかも」

「……気持ちは、わかると思います」

「そうだ。いつか僕たちも一緒に行こうよ、カンヌ。カジノで豪遊なんかしちゃって」

「その時までに私が、本の買いすぎで一文無《いちもんな》しになっていたらどうしましょう」

「任せて。これでも金融業界志望なんだ。好きなだけ貸してあげるよ。超高額の利子で」

「この」

抱き合うように小突き合い、すっかりひとけの増えた大通りに出てきたところで、少年はようやく、ため息をついた。怖かった。人に脅《おど》されることには、あまり慣れていなかった。学校の中で容姿をからかわれたり、ゴミをとってあげるという言葉で体を触られたりすることには、いくらか慣れ、対策もそれなりに立てられてはいたものの、学校の外のトラブルは想定外のことばかりだった。

二人の年上の少年に前後をはさまれたことを思い起こし、ぶるりと身震いをした時、ぼんと何かが頭の上にかぶさった。ジェフリーの手だった。

たなごころでコロコロと金色の頭を撫《な》でころがしながら、少年はにやりと笑ってみせた。

「まあ、まずは道に迷わないことから始めるといいよ」

「……見ていたのですか？」

「見てないよ。そのせいであっちこっち走り回ったんだから。ゼーゼー言ってたのにそれをうまく隠し通した僕は主演男優賞ものだったね。トロフィーが欲しい」

「では、何故私が迷ってしまったのだと」

「そうでもなきゃ、あんなところにわざわざ行く子じゃないだろ、リッキーは」

「………」

そういえばこの従兄も、自分と二つ違うだけの子どもで、誰かを守るのではなく誰かに守られるべき存在であるはずだと、少年はその時ふいに気づいた。伯爵家の人間には全員、誘拐《ゆうかい》を危惧《きぐ》して莫大《ばくだい》な金額の保険金がかけられている。学校から出歩く心配がほとんどない自分自身ならばまだしも、ジェフリーには複数人ついているべきボディガードの姿がないこともまた、少年をぞっとさせた。

「あの………ジェフ、大丈夫ですか。申し訳ありませんでした。あなたのガードは」

「まだそういうことを言う。あのね、『怖かった』でいいんだよ。ガードはまいちゃった。だって面白くないんだもん。またお父さまからお説教の電話がかかると思うけど、可愛《かわい》い弟分の顔を見に来る時にまで、背後にスーツのおじさん二人って、なんかイヤじゃない？」

「……」

それはおそらく、従弟《いとこ》がボディガードを怖がることを見越しての処置だったのだろうと、少年は気づいていた。再び申し訳なさの海に沈みこむ前に、ジェフリーは道沿いの適当な店を見つけて、室内の静かな席に陣取ってしまった。レモネードを二つ。夏のスイスにはぴったりだねと軽口をたたきながら。

「あの」

「ん、なに」

「……さっきの、エドワードというのは、誰ですか？」

「え？　ああ。誰でもないよ。口から出まかせを言ったんだ」

リチャードと馬鹿《ばか》正直に名前を呼んだら、名前を覚えられるかもしれないからと、ジェフリーは言わなかった。わざわざ言って怖がらせたくないという気遣いと、言う必要もないだろうという心やすさが、少年には心地よかった。

エドワード、エドワード、と胸の内で耳慣れない名前をころがして、レモネードを少しだけ飲んだあと、少年はぽつりと呟《つぶや》いた。

「……あなたにもそういう名前があったらいいのに」

「え？」

エドワードのような、と告げると、ジェフリーは笑った。

「それは、ジェイじゃないの？」

「あれはジェフと言いそこなっただけだったので……」

ふうん、と気のない素振りで相槌《あいづち》をうちながら、ジェフリーはレモネードのストローを吸った。ああこれは何か面白いことをたくらんでいる顔だなと少年が気づき、少し笑うと、年上の従兄はその三倍嬉しそうな笑みを浮かべた。

「なら、つけてよ」

「え？」

「僕にもそういう名前をつけてくれたらいいよ。二人の秘密の名前にしよう」

「……ヘンリー兄さまにも？」

「ハリーには内緒」

何の邪気もなく笑う従兄の笑顔は、蜜《みつ》のように甘かった。少年は心からの安堵《あんど》の表情を浮かべ、あれでもないこれでもないと、頭の中の人名辞典をひっくり返し始めた。お気に入りの名前は、どうしても古典文学に関連した人物か、さもなければ日本人の名前に偏《かたよ》ったが、どれもジェフリーの顔立ちにはしっくりこない。

やはりベーシックな名前が一番かと、少年は意を決し、顔を上げ、従兄の瞳を覗《のぞ》き込んだ。

「……ジェイムズ」

「ジェイムズ？」

「ジェイムズです」

「ふふ、了解エドワード。僕はジェイムズか。ああ、ファミリーネームは？　『ボンド』だけはやめてね。マティーニはあんまり好きじゃないから」

「……ジェフ、もうお酒を？」

「今のはジェイムズの話で、ジェフには無関係」

ふざけてレモネードのストローをとりあげ、魔法の杖のようにくるくると回す従兄を、少年はまぶしい輝きを放つ宝石を見るように眺めていた。なんでもできる素敵な人で、自分のことを気にかけてくれていて、それどころか特別な相手だと認識してくれている、世界のどこを探しても他にかえることのできない存在だった。昔の王さまが象の背中いっぱいに真珠やルビーやエメラルドを積んできたとしても、絶対に交換することはできない宝ものだったし、二度と会えない場所に引き離されたらきっとひどく泣くだろうと、体調が悪くなった時にはいつも考えた。大体の場合はすぐに本人から連絡が入り、悪い夢を打ち消してしまうのだったが。

そんな相手に名前をつけていいという栄誉は、少年の心にひたひたと静かに満ち、言葉になって溢れた。

「………ヤーアブルニー」

「ん？」

聞き取れなかったと思《おぼ》しきジェフリーのために、少年は同じ言葉をもう一度繰り返した。

ヤーアブルニー。言葉の切れ目はヤーとアブルニー。アクセントは第一母音《ぼいん》の上。

「ヤーアブルニーか。きれいだけど不思議な響きだなあ」

「アラビア語です」

「また新しい言葉を覚えたな、この天才め」

「私は天才などでは」

「『努力の天才』って意味だよ。頑張り屋さんだから。オーケー、僕の秘密の名前はジェイムズ・ヤーアブルニーだ。エドワードは？」

「え？」

「エドワードのファミリーネームは？」

はっとした少年は、ややあってから、落ち込んだようにうつむいた。どうしたのとジェフリーに尋《たず》ねられると、少年はおずおずと顔を上げた。

「あの………二人は、本当の兄弟なので、一緒のファミリーネームなのです……」

消え入るような声で告げると、ジェフリーは少しだけ目を見開き、ふんふんと頷《うなず》いたあと、にっこりと笑った。それが作り笑いなのかそうでないのか、両親にも今一つ判別しにくいと言われるジェフリーの笑顔だったが、少年には見分けがついた。左の頬《ほお》にえくぼがあれば、作り笑いではないのだという。本人がそう教えてくれたコツだった。

年上の従兄の左頬には、ひょこんとえくぼが現れていた。

「へえー！　そうなんだ」

「そうなのです」

「じゃあジェイムズとエドワードは、本当に僕たちにそっくりだね」

「……え？」

「だって本当の兄弟だろ。僕はそう思ってるよ」

無作法にレモネードの最後の部分をすすりたてて飲むと、カウンターから店員がジェフリーに嫌な顔をした。彼女が手に持っている雑誌には『金持ちの男と付き合う方法』という見出しが躍《おど》っていて、たぶんその雑誌に出ている人よりあなたが今睨《にら》んだ人のほうがお金持ちだと思いますよと、少年は言ってやりたいような気分になった。いつもはできない何もかもができてしまいそうな気がした。心が晴れ晴れとして、明るく、温かかった。

何も言えずに黙っていると、ジェフリーは微笑し、そっと金色の頭に手を置いた。

「学校に戻る？　それともやめとく？」

「……もう少し一緒にいたいです」

「オーケー。じゃあそうしよう」

ジェフリーは『弟』の手をつないで、寮の近くのホテルまで送り、親になりかわって学校に電話をかけて外泊の申請を通すと、冬場にはスキー客で埋まる安い宿にチェックインした。

二人はベッドの上で一晩中話し込んだ。家のこと。家族のこと。友達のこと。ジェフリーの勉強している金融のこと。演劇論のこと。テロリストに民間人三百人を人質にとられ二百五十人しか生きて救出できなかった首相になりきってスピーチをする課題の準備中、苦しさのあまり吐きそうになったこと。演劇の授業であまりにも熟達したカメレオンぶりを披露したので「誰もお前を信頼しなくなるぞ」と言われて大笑いした話。ジェフリーの話は尽きず、どれも面白く、少年の心に一つ、また一つと、明るく輝く宝石を増やしていった。少年もまたお返しに、スイスの宿舎の快適な生活を語った。明るい陽射《ひざ》し、イギリスよりあたたかい気候、遠くに望む常に白い雪山の峰《みね》、快活なスポーツマンのような教師たち。友達はあまりいないけれどそれは恐らく自分のふるまいがあまり子どもらしくないせいだと思うので仕方がないという話、ジェフリーがいてくれるなら他に誰もいなくてもそんなに気にはならないという話。

ベッドに頬杖をついて寝そべりながら、ジェフリーはリチャードの頭を再び転がした。

「お前、あんまり僕を喜ばせすぎちゃだめだよ。離れられなくなっちゃうからね」

「それの何が悪いのですか」

「お前が僕のことを嫌いになった時、『嫌いなのに離れられない』なんて思ってほしくないんだよ」

「そんなことは永遠に起こらないと思います。だからいいんです」

「だからまた僕を喜ばせるようなことを……あのねリチャード、人には誰しも反抗期ってものがあってね」

「私にはないようです」

「あとあと怖いぞ、反動が来ることもあるって論文を読んだっけなあ」

「私にはないので。どうも」

　お互いの頭をもみくちゃにしてふざけ合った末、二人はエドワードとジェイムズの話に戻った。二人はどこに住んでいるのか、関係は良好なのか、他に知り合いはいるのか、いつもはどんなことをして過ごしているのか。眠気の中で構築された人間ドラマは、夢と諧《かい》謔《ぎゃく》がまざり合っていて、二人はヤクザで、日本で暮らしていて、寿司《すし》にワサビをつけるか否《いな》かで喧嘩《けんか》をして、でもいつもすぐに仲直りしてしまう、気立てのよい二人組ということになった。非合法な活動に励むのではなく、困っている人々に手を差し伸べる、ジンギを重んじるヤクザで、ちょっと怖いのでいれずみは彫っていない。ヤクザには義兄弟の契《ちぎ》りというものが存在するが、二人は本当の兄弟なので、そのようなものは必要がない。

　二人でうとうとし始めた頃、少年ははっと目覚めた。ジェフリーは寝ぼけた顔をしていなかった。

どこか遠くを見ているような、底知れない色の瞳は、それでもひたりと、リチャードの顔の上で焦点を結んでいた。

「ねえリッキー、そのお話の続きは？」

「ふえ？」

「エドワードとジェイムズは、ずっと先の未来にはどうなるの？」

ふわふわと夢の世界を漂うような心持ちのなか、少年は首をかしげた。何故そんな当たり前のことを質問されるのかわからなかった。口は自然と動いた。

「……ずっと仲良しです」

「そっか」

もうお休みと言いながら、ジェフリーは一人ベッドから立ち、リチャードに枕を与え毛布をかけてやると、自分は隣のベッドに入って眠ろうとした。眠ろうとしたが、隣のベッドから、小さな従弟がすがるような目で見ていることに気づくと、枕を持って少年の隣に戻った。

二人の子どもは、羽をよせ合うひな鳥のように、未来のことを夢見ながら眠った。

翌朝、ジェフリーはまだ眠そうなリチャードを学校に送り届け、よろしくお願いしますねとそこらじゅうに愛嬌《あいきょう》を振りまいて、あちこちの人々にたくさん手を振って、仏頂面《ぶっちょうづら》のボディガードたちのもとへと帰っていった。

　イギリスの名門パブリックスクールでも有数の秀才だという伯爵家の次男坊が、どうやらこの学校にいる兄弟に会いに来たらしいという噂《うわさ》は、暇な生徒たちの間をはやてのように駆け巡り、一時は学校中の噂となったが、夏の湖にぼんやりと浮かぶ蜃気楼《しんきろう》のように、秋になる前に消えた。


「名前を決めましょう」

「え？」

「敵ばかりの状況で『正義《せいぎ》』と呼ぶのは障《さわ》りがあります。完全に違う名前ですと、呼ばれた時に反応できない可能性がありますので、若干《じゃっかん》、あなたの名前に似たものであるほうが安全かと」

「じゃあ、正義、せいぎせいぎ……誠司《せいじ》に」

「近すぎる。逆に『正義』と聞き間違える人間がいるかもしれません。苗字《みょうじ》を考えなさい。そちらで呼びます」

　偽《にせ》のトルコ石をばらまいているアクセサリーショップに、いざ殴り込みをかけようという時、リチャードは奇妙なことを言い出した。偽名を決めろという。確かにうっかりでも本名を明かしてしまうのは危ない局面かもしれない。俺はない知恵をしぼって考えた。若干本名に似た響き。しかし違う名前。うーむ。

「中田《なかた》、なかたなかた……やまだ、やまだ？　いや、たなかも……あー、どっちかな。山《や》田《だ》か、田中《たなか》か」

「では山田にしましょう。山田誠司さん。よろしくお願いいたします。私はエドワード・バクスチャーです」

「……どこに『リチャード』の原形があるんだ？」

「よろしくお願いします」

「よろしくお願いしまーす！」

珍装コンテストにも出られそうな赤い開襟《かいきん》シャツ姿の俺は、ジャガーの助手席に入り込んだ。しかし装いの奇抜さという意味では、隣に座る男に勝てる気がしない。白。白。白。上から下まで白ずくめ、髪型もオールバックにかためている。ちょっとした裏世界の人のようなキメ方だ。

「……一応、確認なんだけど、エドワード・バクスチャー先生って、どんな設定の人だっけ？」

「霊験《れいげん》あらたかに、吉凶を判じ、石の運命をうらなう大宇宙からの使者です」

「うっ。わかった。頑張って笑わないようにする」

「無論です。大宇宙からの使者を笑うなどとは不遜《ふそん》ですよ」

「ははあー」

いつものようにジャガーは走り出す。この車に口があったら、ご主人さまいつもと雰囲気が違いすぎませんかと慌《あわ》てふためきそうなところだが、ジャガーは寡黙《かもく》で忠実だった。

車が走り続けるにつれ、少しずつ、緊張感が増してくる。何か喋りたいところだが、リチャードの横顔はかたい。今ここで、何も関係がないお茶やお菓子のことを話すのは気が引ける。しかし話したい。何を話せばいいのだろう。

思いついたのは一つだけだった。

「その……バクスチャー先生には、家族とか、いる設定か？　それとも大宇宙からの使者だから、いないのかな。ごめん。そんなことまで考えてないよな」

するとリチャードはふっと、奇妙な表情を浮かべた。いつもの涼やかな笑顔とは違う、『にやり』としか言い様のない演劇的な表情で、俺ではなく、どこか遠くにある何かを眺めるような眼差《まなざ》しで。

そして告げた。

「彼は、天涯孤独《てんがいこどく》です」

「了解だ」

そうして俺たちは二人、いわくつきの店へと向かった。

天涯孤独だというエドワード・バクスチャー氏は、ルームミラーの中で、少しだけ、悲しそうな表情をしていたように見えた。だが山田誠司は礼儀正しく、大宇宙からの使者の弱みなど、全く見て見ないふりをした。

中田正義のほうは、どうだったかわからないが。

悪魔を憐れむ歌

酷薄《こくはく》な笑顔がよく似合うと、学生の頃からよく言われた。

少し垂れ気味な目じり、どことなく肉感的な唇、ほどよく筋肉のついた体、やる気なくカールした金茶色の髪などの条件が揃《そろ》った物件は、一般的な物差しでみれば『ハンサム』で『セクシー』であるようだった。しかし何故《なぜ》か、ただの笑顔が似合うと言われたことはない。

おそらく作り笑いを早く覚えすぎたのが原因だろうと、ジェフリー・クレアモントは内省していた。

兄は将来の伯爵だった。全ての重荷を負った背中を支えたいと思ったたし、そうであるべきだとも思っていた。そして弟のような従弟《いとこ》は人付き合いの下手な寂しがり屋だった。誰かが傍《そば》にいてやらなければならないと思ったたし、それが楽しかった。だがそのどちらかを、あるいは二つを成立させる上で、しばしば必要になったのが、大人への言い訳、ごまかし、ご機嫌とり等のスキルで、それは往々にしてジェフリーの専売特許になった。中間子だからといって、幼い頃から中間管理職のような真似《まね》をする必要はなかったのになと、二十九になったジェフリーは時々、甘く思い出した。毒の蜜《みつ》のような記憶だった。

「……………ま…………か？」

「え？」

「たの、しんで、ます、かっ？」

「──もちろん！」

飲みすぎたフーリガンのような声をあげて、ジェフリーはスーツの上着を脱いだ。高級リゾートホテルのプール沿いには、金髪の美女が操るＤＪブースが設《しつら》えられ、その周辺はシャンパングラスを携《たずさ》えたセレブたちの舞い踊るダンスフロアになっていた。ネクタイの男、半裸の男、ビキニパンツの男。ミニドレスの女、はやりのプレタポルテの女、ハンドバッグに入れた猫の頭を撫《な》でる女。ギターをかき鳴らしながら行進する民族衣装のマリアッチ。テーブルの上で踊るストリッパーの集団。

どこかの大金持ちの誕生日パーティである。

プールのまわりでは、八〇年代のディスコミュージックが最新の機械でミックスされ、無限にビートを刻んでいた。ライトに照らされたプールの水面《みなも》が、泳者もいないのに大きく揺れている。百人は超えていそうな人々が、すし詰めで足を踏み鳴らすせいだった。高額納税者の満員電車のようなプールサイドだった。

古き英国貴族クレアモント家には、出資、管理を行う企業がいくつもあったが、中でも主となっているのは、米国に軸足を持つ企業用保険会社だった。上位のファイナンシャル・オフィサーは五人。じきにその地位に、それも最も華々しいトップに上り詰めるであろう若きオナラブルには、連日パーティの誘いが届いた。未だ三十にもならない若者にもかかわらず、人々はこぞって彼にひれ伏したがった。いくらか貰《もら》えるかもしれない札束の前に、そっと手を差し出すように。

「ツイてますね！　こんなパーティに招いてもらえるなんて！」

補佐としてつけられた部下、オリヴァは、大西洋の向こうからやってきた若い上司に大声で耳打ちした。そうでもなければ声も聞こえない爆音だった。若干《じゃっかん》の耳鳴りを感じながら、そうだね、とジェフリーは怒鳴り返した。

「ほんと、ラッキーだよ！」

「ああ、『ラッキー』の発音がブリティッシュだ！　もう一回言ってくださいよ」

「君がキメキメに『トメイトウ』って言ってくれるなら、考えてもいいよ」

はははと笑う男は、ジェフリーより五つ年上で、オリヴァ・ストレートと書かれた名刺を胸ポケットいっぱいに詰めていた。新しい上司と共に招かれたパーティ会場で配る予定であったらしい。どう見ても名刺交換をするような雰囲気ではないプールを前に、しかしオリヴァは上機嫌だった。

「こんなところに来られるなんて嬉《うれ》しいな。男ばかりの酒の席ならあるんですが、セレブが集《つど》うような華やかな場所は初めてで」

「挙動には注意しなよ。敷地の外ではパパラッチが望遠レンズを持って待ち構えてるから」

「本当に慣れているんですねえ」

「そういう家だからね」

十代続いた貴族である。学校の入学や卒業が、その筋の新聞に掲載されることが、子どもの頃から当然だった。恐らくこれが死ぬまで続くのであろうという確信もあり、そこには一片の疑いもなかった。

オリヴァは引き攣《つ》ったような笑みを浮かべ、ジェフリーの後ろに従った。ビキニ姿のブロンドの美女からシャンパンのグラスを受け取り、ダンスフロアと化したプールサイドに踏み込んでゆくと、ビートに混じって女たちのキャーッという嬌声《きょうせい》が上がった。

「あなた知ってる！　アトラス・ヨット社の新オーナーのフィービーさんでしょう」

「違うわ。セントレーのGPファイナンシャルズのエラリー・ヒギンズよ。そうよね？」

「残念ながら両方違います。しがない保険会社の役員ですよ」

「……ジェフリー・クレアモント？」

「ジェフリー・クレアモント！」

「うそ、本物なの」

「いやだわ想像より若い」

「花嫁になったら王族の縁戚よ」

「愛犬のタローはお元気？　新聞で見たの」

「あいつは随分《ずいぶん》前に死んじゃったんですよ、どうも」

「私のフェイスブックに興味ない？　犬の写真がいっぱいあるのよ」

「私はペットロス中なの、つらいから誰かになぐさめてほしいわ」

「前からおたくの商品に興味があったんだけど、いろいろ教えてもらえる？」

「でしたら部下のオリヴァくんをどうぞ。有能ですよ」

「あなたはどうするの？」

「残念ながら今来たばかりで、ろくにご挨拶《あいさつ》もできていないんです。これで勘弁してください」

ジェフリーが苦笑いし、ウインクを送ると、キャーッという声が再びあがった。楽しい卒業パーティを何度でも、暇と財力にあかせて楽しみたいと思っている人々は、ジェフリーが思っているより多いようだった。そして二十代の人間はおそらく自分だけであろうと、貴族のオナラブルはあたりをつけた。学生のような声をあげているのは、婚姻歴と離婚歴が勲章《くんしょう》の、人生の後半戦に差し掛かった女性たちである。香水のにおいで息がつまりそうだった。

バッグチャームのようにオリヴァをぶらさげて、誕生日会の主役の男性——六十四歳になったという話だった——に、その恋人に、関係者に、そのまた関係者に簡単に顔を売ったあと、ジェフリーは脱いだ上着がどこかに消えてしまったことに気づいた。貴重品をいれておくような愚は犯していなかったが、パーティが終わるまでは探すこともできそうになかった。

まあ冬というわけでもないし、と嘆息した時、何故かオリヴァが上着を脱いだ。

「上着が必要ですね。これ、着てください」

「いや、シャツでいいよ」

「パパラッチがいるんでしょう。背広つきより、シャツだけの写真のほうが高く売れると聞きました」

「あはは。確かにそうだね。露出ってことになるのかもだ。でも……」

「着てください。御父上に叱られるのは私なので」

丁寧だが有無を言わせぬ口調に、ジェフリーは薄く、微笑《ほほえ》んだ。すっと胸に冷たい風が吹き込んできたような気がした。

オリヴァは一礼して、周囲の誰彼構わず話しかける『営業活動』に戻ったようだった。ビートに任せて革靴《かわぐつ》でリズムを刻んでいると、いつのまにか四方を女性たちに囲まれていた。

「ジェフリー、もう飲まないの？」

「飲みましょう。五大シャトーが飲み放題よ」

「ねえジェフリー、ジェフって呼んでいい？」

「ぜひどうぞ。みんな僕をそう呼びますから」

「ジェフ、こっち向いて。ＳＮＳ用の写真を撮りましょ」

「ジェフ、女優のGが恋人ってほんと？　彼女三股してるのよ」

「ジェフ、私の猫を撫でてあげてよ」

「ジェフ」

「ジェフ」

「ジェフリー」

と。

こだまのように名前を呼ぶ声より遠く、ワインの酩酊《めいてい》感よりも深いところから、人影が浮かび上がってきた。遠くかすむ、どこかの広告会社のネオンに二重写しになるように、冬物のコートを着た人影が。

影はジェフリーの前で泣いていた。泣きながら呻《うめ》いていた。

ちがう。あなたじゃない——と。

いやそれは僕だよと、胸の中から浮かび上がってきた幻影に言い訳しようとした時、不意に、現実世界の衝撃がジェフリーを現実に引き戻した。背中に衝撃がきた。叩かれたというよりは殴られたような衝撃で、たたらを踏んだ足が、はずみで外へ飛び出していた。

パーティの外へ。

プールの上へ。

ああちょっとやりすぎてしまったなと。

気づいた時には視界が暗転していた。

ジェフ。

ジェフ。

名前を呼ぶ少年はみるみるうちに大きくなった。金色の巻き毛が愛らしい、天使のような少年から、精悍《せいかん》な顔つきと引っ込み思案さを併せもった愛くるしい青年へ、次第に氷のような冷たさと、春のような慈愛を併せもった不思議な大人の男へと。

魔法の鏡に映し出される、はやまわしのアルバムを見つめるように、ジェフリーは成長してゆく青年を見守っていた。青年はいつもジェフリーの名前を朗《ほが》らかに呼んだ。笑いながら。ある時は泣きながら。ある時はたしなめるように。すがるように。夢うつつに。

そして決まって最後にはこう言うのだった。

ちがう。あなたじゃない——と。

叫ぶように起き上がると、何故か顔面が痛かった。鼻を中心にずきずきと痛む。ソファに寝かされていたらしく、奇妙な角度にまがっていた首が痛かった。身にまとっているのは白いバスローブである。

そういえば顔面からプールに、と思い出した時、不意に目の前に熱を持った何かが差し出された。

「ホットアップルジュースだけど」

白いマグ、そしてマグを差し出すブラウンの指。

褐色《かっしょく》の肌の持ち主は、パーティ会場で出会った他の誰よりも若く、穏やかな低い声で告げた。

「飲む?」

男とも女とも知れない、不可思議な化粧と美貌《びぼう》の人間は、人懐こい笑顔で告げた。

謝意を告げてマグの中身をなめると、口内の粘膜という粘膜がおぞましい甘さに襲われた。確かにこれはいい気つけだと思うのと同時に、ヘイゼルブラウンの肌の持ち主は楽しそうに笑った。オレンジ色の唇が三日月のような弧《こ》を描いた。

「運がよかったね。顔から飛び込んだから、たぶん一度プールで気絶したんだよ。一歩間違えたら溺死《できし》してた」

「それは『運が悪かった』って言うんじゃありませんか? へっくしょん。失礼」

「ラッキーよ。飛び込んで助けてくれる人がいたんだから」

「………あなたが?」

「小学校の頃水泳クラブだったの。ちょっと見過ごせなくて。おかげでスーツが一着パアだけど。いいのよ、予備があったから」

ジェフリーはその時、彼あるいは彼女がまとっている服に気づいた。肌の色にはあまり似合っていないものの、最高級の材質と仕立てを保証する、シャネルのブランドマーク。白いフリンジ。襟《えり》元にはサラブレッドの主であることを示す馬の横顔のラペルピンが輝いている。権力者の証《あかし》だった。

照れ隠しに頭をかきながら、ジェフリーはマグを差し当たり床に置き、握手に手を差し出した。大きな手は柔らかく、いいかおりがした。

「まいったな、大恩人ができてしまった。僕の名前は」

「オリヴァ・ストレートでしょ。背広に名刺がたくさん入ってた」

呆《ほう》けているジェフリーの前で、ヘイゼルブラウンの肌の持ち主はくすくすと笑い、濡れて原形がわからなくなったネームカードをひらひらさせた。高級スーツが喜びそうな、コケティッシュな仕草と笑顔だった。ガーネットのようなオレンジ色のネイルに彩られた指が、隙《すき》のない化粧で武装した顔を指さした。

「ジョアンナ・サルスエラ。命の恩人に恐縮しているところ申し訳ないけれど、たぶんあなたとはもうこれっきり会えないから、何かお礼がしたいなら今のうちに」

「少々お待ちを…………しまった。携帯電話もクロークだ」

ジェフリーはため息をつくこともできなかった。五番街、あるいはカンボン通りのシャネルのマネージャーの私用電話に連絡をとり、ジョアンナが来店した時には全て自分のツケで好きなだけ買い物をしてもらえるようにするつもりが、何もできない。

頭を切り替え、ジェフリーはバスローブ姿のままソファから脚《あし》を下ろすと、ジョアンナの瞳をじっと見つめた。

「ジョアンナ、本当にありがとう。お金も人脈もはぎとられると、僕は本当につまらない人間になってしまうんですが、あなたが助けてくださったことに心から感謝しています。これからのあなたに、素晴らしいことがたくさんあることを祈っています」

「お金も人脈もなくても、今の言葉で十分よ。助けてよかったわ」

「お金も人脈もあるんですよ。ただ今は、電話がなくて」

「そんなものどうでもいいじゃない。私は身に着けるアクセサリーは好きだけど、人間関係のアクセサリーには興味がないの。お金も人脈も、誠意の前ではメッキが剝げるわ」

ジェフリーはぱちぱちと瞬《また》きをした。この誕生日パーティというヴァニティフェア《虚栄の市》の参加者から漏《も》れたとは思いがたい言葉だった。ビジネスの世界は全てがビジネスである。顔を売るのも、友情や好意すら商材である。いわばアクセサリーの陳列市だった。売り手も買い手もそれを承知で、まるで真心がやりとりされているような顔をして楽しんでいる。あるいは馬鹿《ばか》にしている。自分だけはそれを知っているのだと、腹の底で冷笑しながら。

そういう中で、あれはメッキ、と喝破《かっぱ》して悪びれないシャネルの主が、ジェフリーには歯噛《が》みし、名も知れない王国の王族のように見えた。携帯電話がないことにジェフリーは歯噛みし、苦々しい笑いを浮かべてみせた。

「……連絡先、いただけませんか？」

「だめ」

「電話番号だけでも」

「だーめ」

「渡しておくといいことがあるかも……？」

「だめよ」

「友達に自慢できるようなサプライズが……？」

「だめって言ったらだめ。ああ、そろそろ時間切れ。帰るね」

「ああー！」

「子どもみたいな声で残念がるのね。サンタさんが帰っちゃうわけじゃないのよ」

「サンタさんにはいい子にしてれば年に一度会えますけど、あなたとはわからないじゃないですか」

「馬鹿ね。だから楽しいのに。はいはい、これで全部おしまい」

「あー」

それじゃあねと、オレンジ色の爪をきらきらさせながら、ジョアンナは立ち上がった。

ブランド不明のピンヒールの長身と、それを支えるしなやかな体幹に、ジェフリーは目を見張った。仕事は雇用者に任せて、朝から晩までヨガをやっているタイプかなと思いながら、ジェフリーはアップルジュースのマグを抱いた。

「いつかまたお会いしますよ。僕は執念深いんです」

「無理じゃないかな、私は風みたいに自由だから。あたたかくしてよく寝てね、オリヴァ。またプールに突き落とされないように気をつけて」

「善処しますが、確約はできませんね」

「次は助けてあげられないよ」

最後に一度、温度のない投げキスをしてから、ジョアンナは薄暗い部屋を出ていった。

数分後、泡を喰《く》ったようにやってきた本物のオリヴァに、ジェフリーは眉を下げた笑顔で応対し、父には黙っててねとウインクしてみせた。

君が僕を突き落としたんだよね、ちょっと見えたよ、とは言わなかった。


顧客のわがままがあればどこにでも付き従う。ただし保険が許す範囲で。

今回のストリップクラブは、そのギリギリのラインだった。

ニューヨークのシティから少し外れた、ブルックリンとクイーンズのはざま。メガロポリスの陰《かげ》にひっそりと埋もれるように暮らす人々の界隈《かいわい》に、いかがわしい店の軒《のき》も並んでいる。全寮制の学校に入り、長期休暇中の海外旅行も許可された頃、『なるべく足を踏み入れてはいけません』と保険会社から言い渡された界隈のリストを、ジェフリーは脳内で反芻《はんすう》していた。

「ミスター・ゲイブル、本当にここでいいんですか。もうちょっと高級な路線でも、僕は全然構いませんけど」

「そういうところは女の子の体のラインが均一すぎて面白くないんだよ。微妙に崩れてきたのがいいんだ」

「ツウですねえー」

「だって遊んでるうちに見慣れちゃうだろ、そういうタイプの体は」

「はあー」

巨大な作り笑いを浮かべながら、ジェフリーは顧客の隣の位置をキープした。シャンパンはモエ・エ・シャンドンだったところを、客が好きだというボランジェにグレードアップしてある。

何か食べ物をとりますか、と尋《たず》ねかけた時、幕が開いた。まだ開演の時間ではない。前座のようだった。マリリン・モンロー風の格好をした女が、舌に何かついているのかと思われるようなまどろっこしい口ぶりで、観劇のマナーについて説明する。写真・動画撮影の禁止、ダンサーに触ることも禁止。

その後ろで誰かが踊り始めた。

胸元と腰に、大粒の真珠のネックレス、のような飾りをつけたストリッパーである。それ以外には前張りのようなショーツ一枚しかはいていなかった。とびきり背が高く、アッシュグレイのワンレングスをモードなポニーテールにした、胸のふくらみのない人間だった。マリリン・モンローの説明に合わせて、フラッシュに目を背ける素振りを見せたり、無礼に触ってくる客の手をはたいたりするパントマイムを見せながら踊る。

その一挙手一投足が、ダンスの振り付けのように優雅だった。

ジェフリーはその人物に見覚えがあった。

一部の隙もなく、観客の目を意識した目配りをするダンサーは、時には媚《こ》び、時には突き放し、くるくると万華鏡のように表情を変えながら、最後には幕の内側に引っ込んでいった。

やんやの喝采の中で、ジェフリーは隣の顧客の舌打ちを聞いた。

「何で男が踊るんだよ。女の子がいいのに。まあ前座だからいいけど……ジェフ？　どうかした？」

「いえ、何でも」

「びっくりしたの？　さすが伯爵家の次男坊は純粋培養だね。環境活動家のFを愛人にしてるって噂《うわさ》は嘘《うそ》なのかい？」

「噂は噂ですよ。あ、始まっちゃう」

「おっと」

ショーはつつがなく進んだが、たっての希望で連れてきたにもかかわらず、顧客の反応はいま一つだった。はやりのプロジェクション・マッピングもLEDライトも使わないショーは古風だったが、踊りくるう女性たちのスタイルは皆抜群で、若く可愛《かわい》らしく、同じ鋳型《いがた》に入れて造りだしたアンドロイドのように均一だった。整形、整形、あれも整形と、顧客は指さし繰り返した。

二時間ほど鑑賞してフィナーレを迎えたあと、ジェフリーの隣の客人は一度、どこかへ消え、ジェフリーをまごまごさせたあと、不意に戻ってきた。そして無茶なことを言った。

「これ、差し入れしてきてよ」

手にしているのは、紙袋に入ったチョコレートだった。おつまみとしてテーブルに出されていたものの残りである。ジェフリーは首をかしげた。

「……どなたに？」

「あの背高のっぽの男。最初に出てきた、真珠をつけて踊ってたやつ」

「意外だな。てっきりお嫌いなのかとばかり」

「嫌いだよ。だからこれ全部、一度トイレの排水溝にばらまいて拾ったんだ。腹を壊したら踊れなくなるだろ。ほんと、ああいうのは勘弁してほしいんだよ」

「…………………」

「ああ、もちろん品位に関わる話だから、こんなことできないって言うなら」

「いいえ。楽しんでやらせていただきますよ」

「そうこなくちゃ。やっぱり話のわかる男はいいね」

「首尾は写真で」

頼んだよと言いながら、顧客は笑い、外で待たせていたタクシーに乗って、クイーンズの方角へ去っていった。笑顔で車を見届けたあと、ジェフリーは急いだ。タクシーを駆ったが、もはや百貨店など開いていない時間帯である。観光客向けの免税品店で、ラッピングされた新品のチョコレートを買い、ついでに隣で売られていたバラの花束を一束手に入れた。汚れたチョコレートは免税品店の傘立ての隣に置かれていた、食品用のゴミ袋の中に捨てた。

既《すで》に閉店していたクラブの門番に札束で無理を言い、帰り支度をするスタッフの群れの中をかいくぐり、ジェフリーは控室の中に足を踏み入れた。鏡と椅子《いす》が雑然と並んだスペースは、明らかに他のダンサーたちとも共用のものだったが、幸運なことに腰かけているのは一人だけである。

「マネージャー？　まだ電気消さないで。つけまつげが絡まってるの」

「お邪魔ですか？」

ワッ、という芝居がかった声は、肩を震わせるリアクションつきだった。漫画のキャラクターがびっくりさせられたような動きに、ジェフリーは笑いそうになった。堂に入ったショーマンシップだった。

「……あなた」

「言ったでしょ、執念深いって」

座り込んだまま仰天している『ジョアンナ』の顔は、メイク鏡をずらりと囲む裸電球の明かりで、影もなく照らし出されていた。その右側にジェフリーはチョコレートの箱を置いた。左側にはバラの花束を。

「はいこれ。差し入れです。おつかれさまでした」

「…………何でこんなところに」

「運命のお導き」

敬虔《けいけん》なクリスチャンのように指を合わせ、アーメンと吟《ぎん》じると、黒いバスローブ姿のストリッパーは声を上げて笑った。嫌味のない声に、ジェフリーは最悪の事態を免《まぬが》れたことを悟った。

「…………どうしてわかったの？　どうやって探したの？」

「探してなんかいませんよ。ただ巡り合っちゃっただけです。いやあ、こういうことってあるんだな。人生捨てたものじゃありませんね」

「……私のことなんか、よく覚えてたね」

「僕ってそんな恩知らずに見えます？」

「嫌な思い出はすぐに消すタイプじゃないの」

「『嫌な思い出』？　思い出せないなあ、いい思い出ならあるんですけど。ところで今日の私服はシャネルじゃないんですね」

「……あれは私の仕事中に、盛り上がって茂みの中で脱いじゃったどこかの誰かの『セミのぬけがら』。ちょっと着たら、すぐ元あった場所に戻しておいたから心配しないで。盗みはしてない」

「セミのぬけがら……」

「あなたを助けたあと、着るものがなかった時に、ちょうどそこに脱ぎ散らかしてあったのよ。あなたに着せてあげたバスローブも、ネタを明かせば私たちの『仕事用』。とんでもないものを着せちゃったことにはお詫《わ》びする」

でもバスタオルもなかったので、風邪を引かせるよりはマシだと思ったのだと、『ジョアンナ』は言い訳するように告げた。ちらちらと後ろを気にするそぶりからして、本当に誰かがやってきて、糾弾《きゅうだん》されることを恐れているようだった。ジェフリーはため息をつくように笑い、ジョアンナの隣の丸椅子に腰かけた。キイと音をたてて、座面が少し回った。

「お礼に来たんですよ。苦情を言いに来たわけじゃありません」

「……でも、どうやって」

「だから言ったでしょ。偶然です」

ほんとに、とジェフリーがウインクすると、今度こそ、『ジョアンナ』は安心したようだった。いろいろな苦労やトラウマの影が見え隠れしたが、ジェフリーは深追いしなかった。

長い髪をかきあげて、困っちゃうわねとダンサーは呟《つぶや》いた。

「……『華麗《かれい》に現れて颯爽《さっそう》と去る、謎の美人セレブリティ』がやりたかっただけなの」

「おいしい役どころは演じきるのが難しいですよ」

「好きなだけ笑えば？」

鏡に向かって話しかけている『ジョアンナ』の隣で、ジェフリーは脚を組んだ。もう一度組んで、膝《ひざ》を胸に近づけようとしてみたが、尻の筋がひきつってうまくいかなかった。

「イテ」

「何してるの」

「真似してみたんですよ。びっくりしたなあ。人間の脚ってあんなにきれいに動くんだ。初めてダンスで感動しました」

鏡に向かった『ジョアンナ』は、無言で丸椅子を回転させ、ジェフリーの前で脚を組み、左脚を胸につけた。鋭角なコンパスのような動きに、ジェフリーは拍手し、『ジョアンナ』は苦笑いした。その隙を縫《ぬ》って、ジェフリーは言葉を投げた。

「それで、折り入って少しお願いがありまして」

「……なに」

「写真を撮らせていただけたらなあって」

再び『ジョアンナ』はびくりとした。ジェフリーは何も見なかったふりをして、にこやかに言葉を続けた。

「顔は写しません。あなたの指と、チョコの箱だけ」

「何でそんなもの」

「あなたに差し入れしたことを、僕の思い出にしたいから」

顧客に頼まれて毒入りのチョコを差し入れしたことを、一応の証拠写真にしておかなければならないから、とは言えなかった。

少しの間かたまってから、『ジョアンナ』はくすくすと笑ってみせた。どこか痛々しい笑みながら、ピースサインをしてチョコレートの箱に手をかぶせる。ジェフリーはすかさず端末で写真を撮った。角度を変えて三枚。一枚にはチョコレートの箱が写らないようにした。

「ふう、緊張した。ありがとうございました」

「何で指を撮るのに緊張するの。面白い人ね」

二本、指を立てていた手が、すっとジェフリーの前に伸ばされた。細いが、節くれだった、力強い手だった。

「ヨアキム・ベリマン。よろしく、オリヴァ」

オリヴァという名前を、ジェフリーは数秒かかって思い出した。既に転職してしまって久しい最初の部下だったが、それ以来連絡は一度もとっていないし、周囲の人間の交流もない。安全な偽名ではあった。

だが。

ジェフリーは急に、目の前にいる人間に『オリヴァ』と呼ばれる自分が空《むな》しくなった。

「……実を言うと、オリヴァは僕の名前じゃないんです」

「え？　そうなの？」

「あれは僕の同僚の上着だったので、彼の名刺がたくさん入っていたんですよ」

「あらまあ」

じゃあ本当の名前は？　と、流れ作業のようにヨアキムは尋ねた。

がらんとした控室の中で、多少、言いよどんでから、ジェフリーは口を開いた。

「ジェフリー」

ヨアキムの黒い瞳にうつる自分の姿を、ジェフリーは鏡のように眺めた。

「自分の名前を言うのに、そんなに苦しそうな顔をする人、初めて見た」

「また偽名かも?」

「だったらあなたにアカデミー賞をあげなきゃ。本名だよ」

「……『自己の存在の苦しみ』ってやつですかねえ」

その言葉を聞いた瞬間、ヨアキムは奥歯を食いしばったようだった。彫りの深い顔に力がこもり、無慈悲な電球が全ての表情の機微を照らしだす。

ジェフリーはその全てを、見なかったことにして、微笑んだ。

ヨアキムもまた、ジェフリーの猿芝居を受け入れ、朗らかに笑ってみせた。

「ここでは水曜日と土曜日の夜に踊ってるの。土曜日は演目が違うから、よかったらまた観に来て」

「土曜日、土曜日か……」

頭の中で予定表を思い起こし、どうにもならないことを悔やんでいると、ヨアキムはまた笑い始めた。

「何です? そんなに変な顔をしてましたか」

「そういう時には二つ返事で『ぜひ』って言って、二度と来ないタイプかと思った」

「そんなタイプに見える男に、水曜日と土曜日の予定を教えるなんて迂闊《うかつ》だな」

「……本当にそうね。我ながら馬鹿みたい」

心底そう思っているのであろう、独白じみた声に、ジェフリーは内心肩をすくめた。どう思われているのであれどうでもいい相手ではあったが、ヨアキムの左手はバラの花束を掴《つか》んでいた。放さなかった。

「今週、来週は無理ですね。再来週以降もここで踊ってます？　違う店にいるなら教えてください。そっちへ回りますから」

ヨアキムは鏡に向かい、ここにいるよ、と答えた。そして脚を何度か組み直したあと、チョコレートの箱に今気づいたような素振りをし、また振り返った。全ての表情を鏡ごしに見ていたジェフリーは、再び全てを見なかったことにした。

「チョコはお店の子みんなで食べるね。ありがと。本当に次に来てくれるなら、その時はもうちょっとあなたに似合う服を着てきて」

「クラブの雰囲気に合うように、ってことですか？」

「全然違う。まず服はフィット感。次にデザインと材質。最後に価格。高けりゃ安心って感覚は醜悪《しゅうあく》よ。スーツのサイズが合ってない。痩《や》せたんでしょ。それからそのネクタイもだめね。そのトーンの茶色、全然映えない。五十歳のおじさんみたいよ。キュートな柄入りの赤か紫でも買ったら？　おちゃめで似合いそう」

「考えておきます」

せかしてくるマネージャーに挨拶をし、ジェフリーは何事もなかったようにクラブを去った。先に去っていた顧客には、ヨアキムの爪だけが写った写真を送った。返事はなかった。

週に一度、は不可能だったが、ジェフリーはそれから何度かクラブに通った。そのたび衣装を考えるのが楽しくなかったと言えば嘘になる。とはいえそれはヨアキムの辛口なファッションチェック目当てではなく、パパラッチ対策として変装しなければならなかっただけの話だったのだが、結果的に何度も駄目出しをされる羽目になった。

「今日の服は二十点満点中の九点。出直しておいで」

「十二点。前よりはいいじゃない」

「六十五点。百点満点中」

「今日の服はいいね。あなたの中身が見えてきた気がする」

タータンチェックのローゲージニットに、チャコールグレーのジャケット、黒のパンツを合わせたスタイルに、ヨアキムは笑顔で親指を立てた。英国風トラディショナルは商用というよりオフスタイルに近く、ワードローブの中から適当に掴んできただけの品である。

苦笑いをするジェフリーを、頭にラインストーンの冠をつけたヨアキムはねぎらった。

「このあと、少し時間ある?」

「ありますよ。食事ですか?」

ジェフリーの応答は軽口だった。既にヨアキムを三度ほど食事に誘ってみたが、そのたび無視されるだけである。そういう付き合いはしない、という無言の応対を、ジェフリーも理解してきた頃だった。

ヨアキムは笑って首を振った。

「よければ家に寄っていって」

ジェフリーは石を飲んだような気分になった。立地が問題である。これはまた実家の監督者にばれたらまずいことになるかもしれないと思っていると、ヨアキムは口を開けて笑った。オレンジ色のリップがきらきらと光った。

「そんな不安そうな顔しないで。スラムじゃないから。もうちょっといいところ」

「ホテル・リッツとか？」

「近いかも」

いつもは最後まで手伝っているクラブの片付けを珍しく任せ、ヨアキムは早々に店を立ち去った。

向かった先は店の真裏だった。

地面に置かれている銀色の巨大な箱が、ジェフリーにはしばらく理解できなかった。トレーラーハウスの荷台である。ハウスの牽引役《けんいん》になるべき車はなく、幅十メートル、高さ二メートルほどのトラックの荷台が、ただ地面の上に置かれている。ウォール・ストリート・ジャーナル紙に書かれていた、家を持たない低所得者層の問題を、ジェフリーはおぼろげに思い出していた。

通勤時間ゼロ分よと笑いながら、ヨアキムはトレーラーハウスの扉を開けた。

「ようこそリッツへ」

ジェフリーは目を疑った。

トレーラーハウスの入り口には、青いシノワズリの小壺《こつぼ》が飾られていた。天井からは華麗なガラスのシャンデリアが吊り下がっている。ロココ調の貴婦人のスカートの如《ごと》く、ベッドの上で優雅なドレープを描くカーテンは、紫地に白い小花模様の散ったシルクサテンだった。床の上にはもちろん、毛足の長いペルシア絨毯《じゅうたん》が敷かれている。流し台や奥のバスルームに続くと思《おぼ》しきスペースの壁には、高級ホテルの壁にあるような、女性の横顔を描いたリトグラフが飾られている。

全てが古物、あるいは偽物《にせもの》であったが、汚れは拭き取られ、古さは繕《つくろ》われ、傷《いた》んだ箇所はリメイクされ、補修されていた。全ての品物に歴史があり、少しずつ、少しずつ、手間をかけて蒐集《しゅうしゅう》された品であることは明らかだった。ジェフリーが今まで目にした中で、最も華麗で瀟洒《しょうしゃ》な箱庭だった。

足を踏み入れるのを躊躇《ためら》っているうち、ヨアキムはジェフリーを追い越し、笑いながら『リッツ』のソファに腰かけ、脚を組んだ。手作りと思しき猫脚のついたソファは、少々中身がはみ出していたが、ヨアキムが腰かけると隠れた。

「入らないの？」

「…………驚いたな」

「あんまり見せないんだけどね。私のお城だから」

「僕は特別？」

「そう、特別。いいお客さまだから」

ジェフリーが後ろ手に扉をしめると、ヨアキムは無言で脚を組み直し、ソファに寝そべると、客人の顔をじっと見上げた。ガーターベルトで止めているストッキングの切れ目が、すらりとした腿《もも》の付け根から覗《のぞ》いている。ルーブル美術館に飾られているオダリスクの絵画を、ジェフリーは静かに思い出していた。

無言で向かい合ったあと、先に動いたのはヨアキムだった。何かを後悔するような、ため息をつくような顔で笑ったあと、キッチンに立ち、子羊革のトランクのように装飾された冷蔵庫から、ドクターペッパーのボトルを取り出した。

「グラスはないのよ。コップで飲んでもらうことになる。今日の一ドルマックはチーズバーガーだったんだけど、それでいい？」

「ヨアキム」

「やっだ、このトマト半分腐ってる」

「キム」

「適当に座っててよ。おもてなしするから」

「提案があるんだけど」

「何？　ドクターペッパーを飲みながらカードゲームでもする？」

　ふりむいたヨアキムは、瞳の奥に微《かす》かに炎を燃やしていた。ステージで嫌な客に罵声《ばせい》をとばされても、笑顔でウインクを返してしまう人間でも、こんなふうに怒りを隠さないことがあるのだと、ジェフリーは密かに感心し、どこかでそれを喜んでいる自分に気づいたが、見なかったふりをした。

「あるビジネスマンの専属のスタイリングに興味はない？　職種は金融業、三十代前半、ハイエンドのブランド中心、時々遊び心も欲しい。報酬《ほうしゅう》は現金でも、銀行振り込みでも、小切手でも、君の好きなように」

「…………」

　お前は一体何を言っているのかと、一種糾弾するような瞳を向けられても、ジェフリーは飄々《ひょうひょう》と笑い続けた。ヨアキムは再び冷蔵庫に向き直り、半分腐っていたというトマトをバケツに投げ捨てると、ふんと鼻を鳴らした。

「私の勘違いじゃなければ、それはジェフリー・クレアモントっていう人にぴったりの条件だね」

「そう、そいつだよ。イギリス出身のいけすかないハンサム」

「パパラッチの写真がファッションブログに転載されてるけど、大体は転載する価値もないような着こなしばっかり」

「ファッションブログを見るのが好きなの？　ますますちょうどいい」

「暇つぶしに覗いてるだけ。あんなもの、まじまじと見る価値もない」

「それを君の力で『まじまじと見る』価値のあるものにしてやってよ」

「私はお金が欲しいわけじゃないよ」

「僕は欲しいな。もっとお金が欲しい。そのために君の力を貸してほしい」

「…………………」

ヨアキムの瞳は、何らかの感情を浮かべていたが、ジェフリーは笑顔でその眼差《まなざ》しをシャットアウトした。憐《あわ》れみでも侮蔑《ぶべつ》でもない、何かもっと深いところに兆《きざ》した感情の色は、今受けとるにはあまりにも重すぎた。

軽薄な笑顔のまま、ジェフリーは首をかしげてみせた。

「契約成立？」

「……………まあ、やってみてもいいけど」

「OK、成立だ」

ビジネスマンの笑みを浮かべたジェフリーは、手を伸ばしたが、ヨアキムは手を握らなかった。その日の晩餐《ばんさん》の一ドルマックを、ジェフリーは張りつけた笑顔のまま完食し、メールアドレスを渡して別れた。

スタイリスト契約に当たっての、ヨアキムの提示条件はシンプルだった。ワードローブの品々を写真に撮って送ること。まとめたりせず、全てのシャツ、全ての靴を一点ずつ。可能であればそれぞれの衣服を着用した時の画像。最初の一カ月は互いの好みがわからないので『無料お試し期間』、それ以降の支払いは出来高で。

効果は覿面《てきめん》だった。

既にジェフリーの好みをある程度把握《はあく》していたこともあり、ヨアキムの見立ては的確だった。ある時はサヴィルロウの老舗《しにせ》に所属するテーラーのごとく、ある時は若者の流行に精通したインフルエンサーのごとく広範な知識で、最善の組み合わせ、あるいは最適解をアドバイスする。被服は人間を構築する一要素でしかないが、確実にその人間の印象に影響を与える要素である。面倒な相手との商談がスムーズに進み、初めて顔を合わせる顧客に「スマートな人だ」と褒められることが当たり前になった。何よりも服を選ぶ手間が減った。二カ月目からジェフリーは、ワードローブの写真と共に旅程を連絡することにして、持参できる服の上限と、現地の気候や会合相手の好みなどを加えることにした。

「すごいよ。パパラッチが楽しんでるのがわかる。君、こっそり僕の実家に忍び込んで服の好みを調査したんじゃないの」

『パパラッチの楽しみはどうでもいいけど、あなたが楽しんでくれてるみたいでよかった。それより今期のエルメスに、あなたの好きそうな小物が出てるんだけど』

「未チェックだった。いつものアドレスに画像よろしく」

『アイ、キャプテン。マストバイのアイテムには印をつけとく』

君はそれが欲しくないの、とジェフリーは尋ねなかった。ヨアキムはジェフリーのファッション構築を明らかに楽しんでいたが、それと自分の物欲を完全に切り離していた。もちろんハイブランドの小物程度であれば、月に二、三品は買ってもおつりがくる程度の金額を、ジェフリーはヨアキムの銀行口座に送ってはいたが。

おそらくそれがビジネスを長続きさせる秘訣《ひけつ》であることを理解しているのであろうドライさに、情熱を加味できる器用さに、ジェフリーは静かに感じ入っていた。

「……元気？」

『元気よ。そっちは？』

「今からディスコに踊りに行けそう」

『絶対にダメ。そんな時の服は準備してない。タブロイドブログに『最悪ファッションセレブ』って見出しで載るよ。そんな写真保存したくない』

「保存してるの？」

『職務上の必要性』

つんとすましたヨアキムの声はレアだった。つまり本当に楽しんでいるのだなと、ジェフリーは笑い、もし彼と食事に行くとしたらどこへ行くだろうと考えた。ニューヨークならばプラザ。コンラッド。ソフィテル。グランド・ハイアット。パリならばもちろん、ヴァンドーム広場のザ・リッツ。

この回線の向こうにいる相手と、食事に行きたいなと思った時、不意に。

『あーあ。食事ができたらいいのにな』

「……え?」

『一ドルマックでいいから、久しぶりに誰かさんの顔を見て食べたい』

電話の向こうの相手が、同じことを告げた。ジェフリーは混乱した。さかさまにしたカップにボールを入れて、くるくると卓上で回すマジックが失敗して、あるべき場所とは反対側のカップから、ボールが出てきてしまったような気がした。そんなミスをするはずではなかったし、するべきではなかった。

ジェフリーの沈黙をヨアキムはいつものように受け取ったらしく、まあ冗談だけどねと軽く受け流した。そのまま流してしまえば、失敗したマジックが帳消しになることはわかっていた。そうあるべきだと思っていた。だが口は勝手に動いた。

「いや、ただびっくりしたんだ。僕も同じことを」

考えていたから、と告げる前に、ジェフリーの電話に割込通話のサインが入った。着信の主は秘書である。番号は表の仕事用ではなく、裏の仕事用こと私用である。火急の要件の証《あかし》だった。

夜の空気を胸に吸い込み、ジェフリーは明るい声を作った。

「仕事だ。切るよ」

『了解。画像は送信しておいたから』

「サンクス。じゃあまた」

一秒で通話を切り替え、ジェフリーは使い慣れた酷薄な声を呼び出した。

「もしもし」

電話の主は挨拶もそこそこに要件を語った。

秘書の言葉に耳を傾け、しばらく煙草《たばこ》をくゆらせるような沈黙を保ったあと、ジェフリーはぽつりと問いかけた。

「……金を動かしって、何ドルくらい。いや、円か」

業務的な口調で語られる内容に、ジェフリーは徐々に笑みを深くした。嬉しかった。何よりも命を感じさせてくれる喜びの源《みなもと》が湧いてきた気がした。最後にありがとうと告げて、ジェフリーは秘書との会話を打ち切った。

バルコニーの外に見える夜景を見下ろしながら、ジェフリーは深く微笑み、独り言《ご》ちた。

「ちゃんと生きてるんだね、お前も。僕は嬉しいよ、リチャード」

端末から予定表を呼び出し、今後の自分の行動を整理したあと、ジェフリーはこれからとるべき行動を逆算し、既に一片の隙間もない表にねじ込み始めた。

バーレスクの裏の『リッツ』のテーブルに、ジェフリーは突っ伏していた。天井から床までぶちぬいている銀色のポールに、スポーツウェアにハイヒールをはいたヨアキムが巻きついている。手足の筋を伸ばす技をいくつか行い、ショーの整理運動を行ったあとも、客人に全く顔を上げる気配がないことに気づくと、ヨアキムはしぶしぶテーブルに近づいていった。

「お客さん、そろそろ看板」

「…………………」

「本当にどうしたの。今日はずっとゾンビみたい」

「……グレアム・グリーンの『エンド・オブ・アフェア』みたいなことがあって……」

「読んでない」

「……折り入って、すごくハッピーな出来事があったんだ」

「あらまあ。それはハッピーだったたね」

それはつらかったね、と労《いた》わるようなヨアキムの声に、ジェフリーは力なく微笑み返し、ヨアキムは無言で一ドルマックのコーラを差し出した。ヨアキムの今日の夕餉《ゆうげ》のドリンクである。ひかえめに一口吸い込んだあと、ジェフリーは再びダイナーテーブルに突っ伏した。

呪いの宝石は、実のところ『呪いの宝石』ではなかったという。

過去の伯爵家の麗《うるわ》しい父子愛がねじれからんで歪んだ末に、憎悪の幻を見せていただけで。

当代の伯爵家にまつわる人々の感情のもつれ、いさかい、いがみ合いには、何の意味もなかったのだと。

息苦しくなり、ジェフリーが顔を上げシャンデリアを仰いだ時、ヨアキムは既にポールに絡んでくるくると回っていた。見て見ぬふりがうまいのはお互いさまだった。

回転の終わりに見得を切るヨアキムに、軽く拍手を送ると、お辞儀をしてからヨアキムはテーブルに戻ってきた。ジェフリーがまだ何も言いそうにないと気づくと、小さく呟くように問いかけた。

「例のあれに関係してる？　あの『誇りに思う』」

「……ああ」

ビジネスマン、あるいは金融業界出身のタレントとしてのジェフリー・クレアモントが愛用しているＳＮＳには、奇妙な投稿があったばかりだった。『金か、愛か？　僕の家族は愛を選ぶ人を選んだ。誇りに思う』と。謎めいた投稿は憶測を呼び、『忙しすぎてちょっとおかしくなったのかも』というブログ記事まで派生する始末だったが、答えは与えられないまま、投稿は新たな写真や動画で塗りつぶされていった。ジェフリー自身、何故あんな投稿をしたのか、今では思い出せなかった。

ただ少し、メッセージを送りたい気分だっただけである。

秘書に手配をさせて、しばらく身辺を調査させていた、どこの馬の骨とも知れない日本人の青年に。

ジェフリーは軽口をたたくように告げた。

「実はちょっと関係してる。ほんのちょっとね。なんだかエモーショナルになっちゃってさ。大した意味はないんだけど」

「あのコーディネートはうまくいった？　『宝石のブローチをつける』って話だったジャケット。長距離フライトから観光用途」

「万事うまくいったよ。その後のロンドン観光にも同じ服で出かけたけど、何の不都合もなかった」

心の一番ざらざらした部分を撫でられながら、何故相手がこのヨアキムという金を払っても払っても豊かになる気配のないダンサーというだけで、それが癒《いや》しの手であるように感じられるのか、ジェフリーにはわからなかった。ただわかっているのは、この男がグーグルで名前を検索してもこれといった情報の出てこない人物を、プールに飛び込んで助け、バスローブを着せホットアップルジュースを差し出してくれた誰かであるということだった。まるで誰かを、酔っ払いの手から救いだしたどこかの誰かのように。

不自然に長い沈黙にも、ヨアキムはおかしな顔はせず、年かさの姉のような顔でジェフリーを見ていた。

「何か飲む？」

「いや、いいよ。今日はオレンジジュースもあるよ」

「コーラは大好きだし。風邪をひいた時にもいいよね」

「……誰だって選べるなら愛を選ぶよ。ただ、それが選べない時もあるだけの話でしょ」

ジェフリーの喉《のど》からは、声がほとばしりかけた。二つの愛を天秤《てんびん》にかけなければならなかった時、何故自分はもっと冷静に行動できなかったのか、それを考えると今にも死にたくなるが過去をやりなおすことは絶対にできないのだから意味がないこと。その無意味な問いかけにすりつぶされかけながらも生きてゆくことを選んだはずだったのに、それがただのくたびれもうけであったこと。その全てを受け入れて生きていかなければならないこと。金庫室のある屋敷を焼けばよかったと本気で後悔していること。そして。

「……………ねえ」

「ん？」

「……………君はさ…………」

「声が小さくて聞こえない」

「………君の初恋って、いつだった？」

「何の話よ」

セクシュアリティってうつると思う？　という言葉を、ジェフリーはのみこんだ。実は自分の大事な弟分は、男のステディを作ったようなんだよね、二人の関係の深い部分までは未だ調査が及んでいないけれど、もしかしたら将来的には『弟』がもう一人できる可能性もあるんだよね。

それって僕のせいなのかな？　――と。

誰にも言えない秘密を抱えて生きなければならないと気づいたのは、ミドルスクールの頃だった。どうにも女の子たちにキャーキャー言われることが『業務』のように思えてしまって、友人たちが言うような『心がうきうきわきたつような想い』は湧き上がってこないことも、気持ち悪い奴といじめられている男子生徒を助けた時にぎゅっと手を握られ涙目で感謝された時、背筋が粟立《あわだ》つような感覚を覚えたことも、どうやら一つの結論を導き出していて、ジェフリー・クレアモントという人間にとって、それは好ましからざる結論であるようだった。『業務』と思えばガールフレンドをつくることもできたし、デートもできたし、それ以上のこともできた。だがどこまで行ってもそれは『業務』だった。

ヨアキムは顎《あご》に手を当て、トントンと指を動かしながら喋《しゃべ》った。

「初恋はねえ……六歳の時ね。住んでた場所の近くにあった、ガソリンスタンドのお兄さんだったかな。二の腕がムキムキでね、拳《こぶし》で額の汗をぬぐうと筋がぐっと盛り上がるの。ホットだった」

「マッチョが好みなの？」

「当時はそういうのに憧《あこが》れてたの。まあ私の体はそういうタイプじゃないし、今はムキムキにならないように苦心してる部分もあるけど。踊りにくくなるでしょ」

踊り、という単語に、ジェフリーは片眉を持ち上げた。スタイリストとしての給料は一体どこへ消えているのかと、問いかける代わりに、変化球を投げた。

「ねえ。君はずっとここにいるつもり？」

「……さあどうかしらね。それは私の決めることじゃないかも」

唇が美しい弧を描き、ヨアキムはそれ以上何も言わなかった。そうだよねえとジェフリーが訳知り顔で頷《うなず》くと、少し腹を立てたように頬《ほお》の筋を持ちあげ、テーブルに身を乗り出した。

「ねえちょっと。私にだけ言わせるのはどうなの。そっちの初恋は？」

「……初恋ねえ」

ジェフリーは全力で心のまぶたを閉じた。外の世界の情報をシャットアウトするためではなく、内側の世界からやってくる情報を、外に漏らさないためだった。

『空飛ぶモンティ・パイソン』の登場人物のような、どことなく邪悪な笑みを浮かべて、ジェフリーは脚を組んだ。

「好きな相手は、いたよ。いつから好きだったのかは忘れた。でもそれは墓の下まで持っていくって決めてるから、二番目の恋の相手のことを話すね。家に出入りしていた配送業者のお兄さん。髪の毛が長くてね、動き回るとぴょんぴょん跳ねるんだ。あれがすごく好きだったな」

「なに、私の髪の毛が好みだったの？」

「………あ、そう言われれば似てる」

「ちょっと」

ジェフリーの肩をバシッと叩き、ヨアキムは笑いながらポールに戻ると、片腕で体を支え、持ち上げ、地面と水平になった体をぐるぐると回した。長い髪が垂れ下がる様子を、ジェフリーは頬杖をつきながら眺めていた。

「ブラーヴォ。きれいだな」

「よく言われる。アフリカンアメリカンと、北欧の血が混じってるんだけど、先祖をさかのぼるとインドの血も南欧の血も入ってるんだって。私の体は世界の『美』の集大成よ。崇《あが》め奉《たてまつ》って」

「あながち冗談に聞こえないな」

「本当に疲れてるんだね」

「これでも審美眼には自信があるよ。美しいものはうんざりするほど見てきたから」

ヨアキムは笑った。ジェフリーは自分が異端審問にかけられる、か弱い被疑者になったような気分になった。邪悪な笑みというにもあまりある、容赦《ようしゃ》のない嘲笑《ちょうしょう》を、世界の美の集大成の持ち主は即座に引っ込め、社交辞令用の笑いの仮面をつけた。

「ありがと。今後のスタイリング費用は一カ月に油田一つでいいから」

「アラブの砂漠で油田掘削をする人に転職しなきゃならなくなるよ」

「いいんじゃない？　大金持ちの白人のお兄さんには想像もできないような経験が、砂漠でたくさん積めるかも」

ジェフリーは心のまぶたを上げ、『審美眼』という言葉の意味をゆっくりと反芻していた。誰かが誰かを美しいか否《いな》か決める、その審査の瞳という意味合いの言葉である。審美眼に自信があるとはつまり、相手を美しいとジャッジする権利は自分にあるのだと宣言するに等しかった。

ジェフリーはポールに歩み寄り、上下さかさまになって回転するヨアキムと目が合うようしゃがむと、穏やかな笑みを浮かべてみせた。

「ごめん」

「…………謝るのはこっちのほうなのに」

「僕のほうだよ。悪かった」

「こんなこと、お客に言ったら、そこで仕事を失うよ。ああ、大馬鹿。ヨアキムちゃんどうかしてる」

「こんなに安く使える敏腕スタイリストを手放す気なんてないよ。もっと働いてもらわないとね。これからあのジェフリーとかいうやつはもっと忙しくなるみたいだし」

ポールから下りたヨアキムが、社交辞令の笑顔をやめ、真摯《しんし》な顔で心配する様子を見せ始めた時、ジェフリーは心のまぶたを閉じた。これ以上のものを受け取るつもりはなかった。

そろそろ帰ると言って、テーブルに現金の入った封筒を置き、『リッツ』から出ようとすると、

「ねえ」

と、ヨアキムが呼んだ。

振り返らないほうがいいと思いながら、ジェフリーの足は止まった。

「なあに」

「今度一緒に食事に行かない？」

「…………ええ？　一ドルマック？」

「どこでもいいよ。あなたの好きなお店に行ってみたい」

ヨアキムの言葉は、ある種の手打ちのようだった。そんなことしなくていいのにと、ジェフリーが両手を上げ、広げると、ヨアキムも同じジェスチャーを返した。本気だよ、と告げるように、目を大きく見開きながら。

「……本当に好きなところに連れていくけど」

「わあー楽しみー。言質《げんち》をとったよ。まさか払えとは言わないよね？」

ジェフリーは苦笑した。これはまるで謝罪をする側が、される側に無理やり行為を受け入れさせようとするようなものだった。芝居じみた様子で喜んでみせるヨアキムに、ジェフリーも芝居がかった言葉を返した。

「ねえ、今気づいたんだけどさ、僕たち年単位の付き合いになるけど、食事に行くのは初めてだよね」

「そうだっけえ？　やっだ、変な付き合い」

「本当にね。お互い生きててよかった」

「ほんとね」

笑顔を見た時、ジェフリーは自分の足が止まったままどうにも動きそうにないことに気づいた。ヨアキムも気づいたようだったが、芝居の達人は再びポールに戻り、ジェフリーが足を止めていることに理由を与えた。

「最後に何か、いい技見せてあげる。何がいい？」

「……くるくる回る技がいいな」

「どれ？　回るっていってもいろいろあるけど」

「ペーパークラフトが落ちてくるみたいに見えるやつ」

「わかんないよ。ボディ・スパイラルかな」

ヨアキムは携帯端末を指ではじき、ジェフリーも何度か聴いたことのある音楽を呼び出した。ムーディな男声がけだるく愛を歌う。ふわりと舞い上がるようにポールに巻きついた体は、片手と片脚だけで体を支え、ペーパークラフトのように、ひらひらと螺旋《らせん》を描いて回転していた。ペーパークラフトと違うのは、回転しても回転してもヨアキムの体が地面には落ちないところである。手足の力で体を支えている限り、いつまでもポールの中ほどに留まることができる。

誰でも選べるのならば愛を選ぶと。

言葉を思い出しながら、ジェフリーは心の中でまぶたを閉じた。外の世界を眺めながら、外からは何も受け取らないと決めた時、心の中で静かに下ろす、透明なシャッターのようなまぶただった。

愛のない世界で生き続けるという誓いは、永遠に終わらない、孤独なスパイラルのように思われた。

だがその愛のない世界の中でも、一緒に食事に行くことができる相手がいる。

ジェフリーにはそれが何らかの救いなのか、未だ続く食肉加工場までの道のりを羊に歩かせるための餌《えさ》なのか、よくわからなかった。その二つの違いも。

予定時間を大幅に超過してホテルに戻ってきたジェフリーは、翌日の予定を訴える秘書からの説教じみた電話を受け流し、落ちてゆく紙細工のことを考えていた。

デートの日、ジェフリーは待ち合わせに少し遅れた。スマートに現地で集合し、そのまま予約の個室に行くはずだった作戦は、初手からの不首尾である。これはヨアキムに叱られるなと思いながら、ジェフリーは黄色いタクシーで、高級レストラン街を駆けた。本当の『いきつけの店』をとってしまうと、パパラッチ対策が面倒になるため、過去、父親がまだ伯爵としての存在感を保っていた頃に世話になっていた店を予約した。格式と価格と外装はあるが、味はそこそこ、という風情《ふぜい》の店である。

パリのカフェのような、金と黒を基調にした軒の下にタクシーをとめた時、ジェフリーは奇妙なことに気づいた。店の前で立ち往生している客がいるのである。アッシュグレイのポニーテールの持ち主で、肌は甘やかなキャラメル色だった。

ヨアキムである。

距離を詰めてゆくと、ジェフリーにもヨアキムと店員の会話が聞こえてきた。

「申し訳ございませんが、本日は満席でございます」

「……さっきも言ったけど、予約があるはずで、名前はCから始まる……」

「満席でございますので」

「……でも」

「ダブルブッキングがございまして」

「…………そんなにいい席じゃなくてもいいんだけど」

「満席でございますので」

ジェフリーは胸がすうっと冷えてゆくのを感じていた。店には店なりのドレスコードがあるが、観光客を受け入れ始めている羽振りのいい高級店では、ほとんど形骸《けいがい》化しつつあるルールである。だがこの店においては、二十一世紀になって久しいこの時でも、入るべき客と入るべきではない客は、峻別《しゅんべつ》すべきものであるようだった。

先にジェフリーに気づいたのはヨアキムだった。

「…………あら」

ヨアキムの服は、一言で言うとゴミ袋のようだった。どう見ても十年は着ている黒いフェイクレザーのジャケット、同じ質感のホットパンツ。ハンドバッグは表面のエナメルがはげて、築四十年のビルの外壁のようにぺらぺらにめくれていた。どこかで転びでもしたのか、ストッキングは派手に伝線し、服はところどころが濡れている。

なにかよさそうな服を買わなかったの？　とジェフリーは尋ねなかった。ヨアキムはいくらでも素晴らしい組み合わせの衣服を選ぶことができる目を持っているし、全ての状況にはそれぞれ相応《ふさわ》しい服があることも、深く、繊細に理解していた。無意味にこんな服を着てくるような人間ではない。

「………ごめんなさい。ちょっと、いろいろ、間違ったの。時間がなくて。連絡したけど、つながらなかったから」

ヨアキムの声は震えていた。顔は青ざめ、微かに涙ぐんでいる。ジェフリーはぐっと奥歯を食いしばったあと、世界中に響くような間抜けな声で叫び、天を仰いだ。

「なんてこった……！」

タクシーの支払いを済ませるや否や、ジェフリーは店のフロアマットの上に膝をつき、胸からシルクのハンカチを取り出して、ヨアキムの服の濡れた箇所に当て始めた。ぎょっと目を見開いたヨアキムに、すがりつくような眼差しで見上げ、許してくださいと哀願する。レストランのスタッフが、奇異の眼差しで凝視していることが、ジェフリーには手に取るようにわかった。

「ちょっと、なに……」

「申し訳ありません。まことに申し訳ございません。この人は、自分が何をやっているのか全然わかっていないんです。別のお店にお連れします。自分の手違いで、とんだ失礼を」

泡を喰ってみすぼらしい服をはたくビジネスマンの姿は、群衆の目を引いていた。何か奇妙なことが起こっていると、誰でも理解する局面である。レストランのスタッフが慌《あわ》てて、店の奥に駆け込んでゆく様子を、ジェフリーは瞳の端でとらえた。オレンジ色のリップの口元に手を当てるヨアキムが、微かに笑い始めたことに気づくと、ジェフリーはウインクした。

三秒後、お仕着せの襟《えり》を整えて出てきたマネージャーの前で、ジェフリーは悠然と立ち上がった。

「ああジョニー。久しぶりだね。お父さまはお元気？　今日は満席なんだってね」

「……ご無沙汰《ぶさた》しております、クレアモントさま。その件に関して少々お話が」

「気にしなくていいよ。『イレブン・マディソン・パーク』に移動するから」

「たった今、奥の個室に空きができたところでございます」

「へえ？　個室に？　不思議だな。ダブルブッキングだって話なのに」

「それが、当方に手違いがあったようで」

「手違い！　何てこった。世界に名だたるニューヨークの名店にそんなことがあるなんて、今日の僕はとてもレアなケースにぶつかってしまったようだ。ロトを買おう。一億ドル当たるかもしれない」

「憚《はばか》りながら、より一層低確率のレアケースかと存じます。スタッフ一同、今後このようなことが二度とないようにつとめてまいりますので」

よろしければ今回のお食事は全て当方で会計を持たせていただきたく——と。

日本人のように深々と礼をするマネージャーは、ジェフリーと、その隣に立つヨアキムを眺めていた。ようやくどちらが無視してはならない人間かわかったのかと告げるように、ジェフリーが呆《あき》れた吐息を漏らすと、ヨアキムはそっとジェフリーの袖《そで》に触れた。

「あんまりいじめないであげて。いいのよ」

「よくありませんよ。どれだけあなたが僕の大事なお客さまか、ちっともわかってない」

「まあそれは仕方ないんじゃないかしらね」

軽く後足に体重をかけ、体を斜めに傾けたヨアキムは、まるで全身にシャネルのビンテージをまとった大富豪のようなオーラを放っていた。立ち直りの早い千両役者に内心喝采を送りながら、ジェフリーは真剣な瞳をつくり、ヨアキムに耳打ちした。ただしそこそこは、マネージャーにも聞き取れる程度の音量で。

「いいんですか。僕は今から予定を変えても問題ないですよ。まあ、例の件のお話は、やはり個室のほうがいいかとは思うのですが」

「アラビアの油田の話？」

「それもありますが、リッツでお話しした件も」

「しっ。人が聞いてる」

「失礼しました。でも『イレブン・マディソン・パーク』もそう悪くはありませんよ。ミシュラン三ツ星なんて、ありきたりすぎて退屈かもしれませんが」

「時間が惜しいからここでいい。入りましょ」

ジェフリーはヨアキムに腕を差し出し、ヨアキムもまた腕を掴んだ。マネージャーは恐縮し、胸に手を当てて深々とお辞儀をした。

白い壁に黒いインテリアで統一された個室に案内され、しずしずと重厚な扉が閉ざされた瞬間、ヨアキムは笑顔を爆発させ、天井を仰いだ。

「ああジェッフィ！　あなたって人は！」

「ジェッフィ？」

「今日が人生最高の日になっちゃった。何なの、あなたは。本当に何なの」

「いやその前に、ジェッフィって何？」

「あ、本人の前で呼んじゃった。ごめんなさい」

笑いの発作をかみ殺しつつ、ヨアキムは語った。『ジェフリーの花嫁たち』と呼ばれる熱狂的な女の子集団は、ジェフリーのことを『ジェフィー』と呼称しているという。スタイリングの首尾を確認するため写真をあさるうち、あまりにもその名前を目にし続けたため、自然と口にするようになった結果が『ジェッフィ』だと。

「……ジェッフィ……」

「北欧のうさこちゃんみたいで可愛いでしょ。秘密にしておくつもりだったんだけど」

「僕の頭に白いうさぎの耳が見える？」

「次のハロウィンの仮装が決まったね」

「勘弁して」

雅《みやび》な食事が運ばれてくるたびに、二人で秘密会談のふりをし、ジェフリーは無意味に複雑なグラフが描かれた携帯端末の画面を見せ、ヨアキムは全ての秘密を理解しているような顔でまじめくさって頷いた。あまりにも楽しい食事で、互いに相手が同じくらい楽しんでいることを理解してしまった。これはもう駄目だなと、ジェフリーはどこかで悟った。

ジェフリーは定宿にしているホテルに連絡し、いつもの部屋を午後からあけてほしいと依頼した。駆け込みの予約は速やかに受理された。

「…………意外だ」

ホテルの部屋をチェックアウトする直前、靴紐《くつひも》を結び直すだけの短い時間、一人になったジェフリーは独白した。ヨアキムはバスルームで化粧を直している。窓の外ではメガロポリスの景色が茜《あかね》色の霞《かすみ》に包まれている。ヨアキムの住むトレーラーハウスのエリアは、まるで存在しないようにどこにも見あたらなかった。

相手を極限まで愛《いと》しく思ってしまったあとに訪れるのは、幻滅である。

とことんまで高まった感情は、それ以上には燃え上がらない。

残るのは灰、あるいは炭火程度のものである。

手っ取り早く全てを灰にしてしまうつもりでホテルをとったジェフリーは、案外いろいろなものが燃え残っていることが意外だった。相手にうんざりしていないことも不思議だった。関係が変わっても、ヨアキムが全てを明け渡そうとはしなかったからである。燃えようにも燃やす素材が存在しなかった。

まあそういうこともあるかと思考を乱雑にまとめながら、その理由を理解している自分がいることも不可思議だった。巨大なリスクを冒《おか》していることには最初から気づいていたが、どちらのリスクをより重視するかというマネジメントは間違っていない確信があった。

靴紐を結び終えたジェフリーは、

「キム」

と、バスルームのヨアキムを呼んだ。

「なに」

半開きの口が目に浮かぶ声に、ジェフリーは何でもないような口調で問いかけた。

「君はさ、自分を幸せにしてやりたい？　『自分はいずれ幸せになる人間だ』と思ってる？」

秒針の音が聞こえそうな沈黙の間、答えはなかった。ただジェフリーがその沈黙を壊さず、保持していると、バスルームから声が戻ってきた。

「……悪いけど、それは私の生き方じゃないね」

ホテルをとってよかったな、とジェフリーは微かに笑った。より深い場所でつながってみなければ、この答えは得られなかった気がした。そうなんだ、とジェフリーは明るく答えた。

「じゃあさ、キム、僕たちはすごくうまくやれるよ」

「…………」

「僕もそうなんだ。おんなじなんだよ」

「…………」

「だから君みたいな人がいてくれると、とても助かる」

うわべだけを撫で合って、それ以上を求めない。

燃え上がって終わりにしようとしても、そもそも燃やす素材を提供しない。

人間関係につりあう以上の金銭の要求はなく、ある程度は人間性も信用できる。

ジェフリーにとってヨアキムは、現状望みうる最高の鎮痛剤だった。

きらきらのリップとアイメイクに、一部の乱れもないヘアスタイルになって、ヨアキムはジェフリーの前に戻ってきた。黒い瞳の奥に滲《にじ》む感情は、見えないことにしてスルーした。

「お馬鹿さん」

「知ってる。でも生きていたいんだ」

鏡を見つめるような眼差しに、ヨアキムは淡い憐れみの色を浮かべてみせた。ジェフリーは立ち上がり、腰をはたいた。

「さてと。悪いけどタクシーを呼ぶから先に帰ってくれる？　また連絡するよ」

「アイ、キャプテン。今日は楽しかったよ。食事も最高だった」

「またよさそうなアイテムがあったら連絡してよ」

面倒くさそうに手をふって、ヨアキムは部屋を出て行こうとし、急に回れ右して戻ってきた。

「なに？」

ジェフリーが首をかしげると、ヨアキムは右の人差し指でトンと、ジェフリーの唇をタップした。

「次に会う時まで、ちゃんと生きててね。褒めてあげるから」

「…………それは楽しみだ」

ひらひらと手を振ってみせると、今度こそヨアキムは部屋を去っていった。ヨアキムは振り向かなかった。

いつものように一人の部屋になったあと、膨大にたまっていたメールや電話を一つ一つ丁寧にチェックし、最後にジェフリーは国際電話をかけた。ブツブツという耳ざわりな通信音のあと、若い青年の声が聞こえてきた。ジェフリーは口角を思い切り持ち上げ、上機嫌なセレブの声をつくった。言語はもちろん、日本語で。

「こんにちは中田《なかた》くん。元気ですかー？　元気じゃなくていいんだけどね。ホテル暮らしはどうですか？　困ったことはありませんか？またすぐに顔を見に行きますけど……

……いやあ別に、これといった用事はありませんけど……仲間同士『どうしてるかな』って。なーんて、僕は年がら年中ホテル暮らしですけどね」

日本のホテルで、物憂い生活をしている日本人青年に連絡をとったあと、バスルームに入ったジェフリーは、洗面台から全てのアニメティグッズが消えていることに気づいて噴き出した。

それからしばらく、ジェフリーはヨアキムと会うことを避けた。たびたび顔を合わせる必要のある相手ではなかったし、大量の写真を添付したメールのやりとりで、スタイリング関係の連絡は事足りた。何より日本とロンドン、ニューヨークの行き来に青息吐息になり、その他のことにかまけている時間がとれなかった。

水曜日の深夜、ぽっと空いた時間ができた時、ふとヨアキムのことを思い出したジェフリーは、久々にクイーンズとブルックリンの狭間にタクシーを走らせた。クラブは既に閉店していたが、ショーに出た出演者は近くにいるはずである。ジェフリーはトレーラーハウスを訪れ、ノックをした。

はい、という短い返事は、確かにヨアキムの声だった。

「サプラーイズ！　キム、今日は何の日か知ってる？　という言葉を投げかける前に、ジェフリーの舌は凍った。

鍵のかかっていないトレーラーハウスの中には、ヨアキムがいた。静かに泣いていた。顔の半分が、真っ青を通り越して真っ黒になるまで痣《あざ》だらけで、口の端は切れて血が流れていた。

呆然《ぼうぜん》とした顔のジェフリーと、ぼんやりとしているヨアキムの目が合うまでには、十秒ほどの時間が必要だった。

「……どうしたの、その顔」

「嘘でしょ。どうして今」

神を呪う言葉を口にしたヨアキムは立ち上がり、ジェフリーを外に追い出そうとしたが、遠くで何かの割れる音が聞こえると、今度は抱き寄せ、部屋の奥へといざなった。『リッツ』の奥の物置スペースに追いやり、無理やりしゃがませ、紫色の布をかぶせる。

「隠れて。そこから絶対に出てこないで。いい、絶対だよ。約束を破ったら殺すからね」

何を言い返す間もなく、トレーラーハウスの中にドタドタと踏み込む足音がした。ヨアキム、ヨアキムと、ろれつのまわらない声で呼ぶのは、どうやら酔った男のようだった。

「何度も言うけどもうお金はないからね。もう全部渡したんだから、ここには何にもないの」

男は熊のような唸《うな》り声をあげ、よくわからない言葉をうにゃうにゃと告げたあと、派手に転ぶか何かして、トレーラーハウスの壁に突っ込んだようだった。大丈夫、と言いながらヨアキムが抱き起こそうとすると、また唸り声をあげる。金、という単語だけ、かろうじて布の下からでも聞き取ることができた。突き飛ばされたと思しきヨアキムが呻き、床に倒れ込む。

「もう殴らないでよ！　これ以上やったら警察を呼ぶからね！」

呻くような罵声のあと、バタバタという足音が二つ並んで出て行き、部屋の中は静かになった。

一分かそこら、静かな時間が続いたあと、誰かが戻ってきた。

「……出てきていいよ」

声に促《うなが》され、ジェフリーがのっそりと姿を見せると、ヨアキムは安堵《あんど》の息をついた。

「肝《きも》が冷えた。何が『サプライーズ』なの。死ぬかと思った」

「あと三十秒続いたら、警察を呼んでたよ」

「こんな所まで来る警察は、あなたの知ってる警察じゃないよ」

頭を振るヨアキムは、手の甲についた血で、口角の傷に気づくと、うんざりした顔で床下収納の扉を開けた。即座に救急箱が出てきて、蓋《ふた》を開けると絆創膏《ばんそうこう》や塗り薬が山ほど入っていた。分厚く塗りたくれるタイプのファンデーションとコンシーラーも。

ジェフリーは腕組みをして、全ての光景を少し遠くから眺めていた。

「誰だったのか、聞いてもいい？」

「本命の彼氏。もう付き合って何年にもなる」

「同棲《どうせい》してるの？」

「二ブロック向こうで奥さんと住んでるよ」

意味のわからない関係だな、と思いつつ、ジェフリーは適当に頷き、ヨアキムに近づいた。床に膝をついて、鏡にうつった顔を見るヨアキムの顎に手を添え、上を向かせる。

「病院まで送る」

「こんなの大したことないよ。ファンデーションを塗ればわからないし」

「ファンデーションは治療じゃないよ」

「でもなかったことにはなるでしょ」

「脳が心配だ。そんなに殴られたら危ない」

「約束を破るの？　私たちはお互いに『幸せにはならない』んでしょ」

「死んだら幸せもクソもないよ。まだ生きていたいんだろ」

脅《おど》すような声色《こわいろ》に、ヨアキムはしばらく唇を噛んでいたが、ジェフリーが引き下がらずに待つと、無言で頷いた。

ヨアキムをタクシーに乗せ、ジェフリーは救急病院に急いだ。交通事故者が多く運び込まれる低所得者層向けの病院ではなく、セレブリティとは言えないものの所得に不自由はない層が夜中に駆け込む病院を選んだ。

大した待ち時間もなく、頬にガーゼを貼ったヨアキムが診察室から出てくると、ジェフリーは待合室のソファから腰を上げた。支払いは既に終わっている。かたまったままのヨアキムを連れ出し、タクシーでエンパイアステート・ビルに向かった。夜景を見せる店の窓際の席で、ニューヨーカーの愛するスムージーを飲んでいるうち、ヨアキムは口を開いた。

「…………十八の時、付き合ってた彼氏とマリファナをしてたの。私が運転手で、彼が助手席。二人ともハイで、ハイウェーをぶっとばして、パトカーに追いかけられたから『やばい』と思った。逃げる最中ハンドル操作を誤って壁に突っ込んで、気絶して、次に目が覚めた時には彼氏が潰れて死んでた。私が殺した」

正確には『殺したようなもの』だな、とジェフリーは内心訂正《こ》をいれたが、ヨアキムはそうは思っていないようだった。黒い瞳は一点を見つめて凝り固まり、夜景ではなく、ガラス窓にうつった自分の姿を見つめているようだった。

「あの男は？」

「彼氏の弟。私と同じろくでなしで、いつもお金に困ってて、最近は底の抜けたバケツみたいに金遣いが荒い」

「ふうん」

つまり自分は間接的にあの男に貢《みつ》いでいたわけかと、ジェフリーは理解を新たにした。クイーンズに小さな賃貸を借りても、まあやっていけるであろう額面の金を持っているはずのヨアキムが、レストランに出かけるだけの服を買う余裕もない謎も解けた。

「で、君は永遠にあいつに貢ぐの」

「………貢いでるわけじゃないよ」

実際のところはそうであるにしろ、と認めるような沈黙のあと、ただね、とヨアキムは呟いた。

「何をしても取り返しのつかないことはあって、私は自分が罪人だって忘れたくないだけ。そのために生きてるの。あいつはただのクズだけど、私もクズだって教えてくれる便利なリマインダーだから、ちょうどいいんだ」

「リマインダーねえ」

ジェフリーは微笑み、夜景の手前に見える自分の顔を覗き込んだ。雑誌や新聞やＳＮＳ

でお馴染《なじ》みのジェフリー・クレアモントが、少しくたびれた風情でうつりこんでいた。自分はこの男が嫌いだな、とジェフリーは改めて思った。

　そしてそっとテーブルに手を伸ばし、ヨアキムの指を握った。

　はっと顔を上げるヨアキムとは顔を合わせず、ジェフリーは窓ガラスに向かって喋った。

「最初に言っておくけど、僕は君のこと、大して好きでも嫌いでもない。依頼している仕事も、君じゃなきゃ駄目だってものでもないし、ズブズブの関係ってわけでもないし。でも君の傍にいると、時々すごくほっとする。今日もそうみたいだ。もうしばらくこのままでもいい？　ほっとし終わったら放すから」

「…………」

「ああ、別に励ましてるわけじゃないよ。ただ事実を述べただけ。君のダンスも、君の選んでくれた服にも、そういう効果があるらしい。だから何度も君に会いに来るんだと思う。たぶんそれは君が、自分のことを好きじゃないけど、生きていなきゃならない理由があって生きている人だからなんだろうな。今日わかった」

　ヨアキムはガラス窓に押しつけていた額を持ち上げ、じっとジェフリーの顔を見た。ジェフリーは薄笑いで応じた。

「自分のことは全然好きじゃないけど死ねない。生きていないと償《つぐな》えないことがあるから死ねない。そういう生き方はいびつだけど、安い覚悟で完遂できるような生き方でもないよね。肉を切らせて骨を断つくらいの覚悟と、ガッツがなきゃ」

「…………」

「応援してる」

ジェフリーは社交辞令の笑みを浮かべて、傷だらけのヨアキムの顔を、まるで百回目にした取引先の顔でも眺めているように見た。そして握ったままの指に短くキスをし、手を放した。

ヨアキムはしばらく、静かにジェフリーの顔を見つめていたが、諦《あきら》めたような顔で笑った。

「……もっと楽に生きればいいのにね」

「それは自分に言ってるの？」

「そうよ。当たり前でしょ。もしかしたら私と似た誰かにも刺さる言葉かもしれないけど。めんどくさい。もっと楽に生きればいいのにねえ」

「でもそれは本当のところ、全然楽じゃないんだよねえ」

「ねえー」

顔を見合わせて、ジェフリーとヨアキムは笑った。まるで誰にも殴られたことなどないような晴れやかな笑顔を、たった数時間前にひどく殴られた人間が浮かべていることの醜悪さに、ジェフリーは吐き気を覚えた。そして軽薄に微笑んだ。

「このあと、時間はある?」

「……悪いけど今日はもう無理」

「別に何もしないよ。好きなルームサービス全部つき」

「パパラッチの餌食《えじき》になりたいならよそをあたって。私はノーサンキュー」

あのトレーラーハウスには帰したくないという思いと、全てを見透かした上でそれをつっぱねるヨアキムの心意気とを天秤《てんびん》にかけて、ジェフリーは後者をとった。

これは間違った道だなと、思考の箱のように静かなタクシーの中で、ジェフリーは考えた。間違った道を歩んでいきたいと思っている以上、それが正道であるはずだった。

だが本当に『正しい間違った道』であるのか、それともどこかで脇道に入ってしまったのかまでは、見分けられる自信がなかった。


誰にも言えないことが、いつの間にか知れ渡ってしまうことがある。

ああこんな感じなんだなと、やけに現実味のない現実を、ジェフリーは静かに受け入れていた。リチャードが出奔《しゅっぽん》して以来、何くれと秘密の行動を手伝ってくれていた秘書はあっさりと主《あるじ》を裏切り、造反の気配を見せる使用人たちに情報を売った。

オクタヴィアという少女からの、長いビデオレターを受け取り、念のためヘンリーとリチャードにも送付されたという動画を回収したあと、ジェフリーは彼女の復讐《ふくしゅう》劇が、使用人たちに操られた末のものであることを悟った。そして恐らくオクタヴィア本人もそのことには気づいていて、なおかつ手の平の上で『踊ってやっている』つもりでいることも。

きっとこの子は、本当にリチャードが憎いわけではないのだろうなと、ジェフリーはビデオレターを見返すたびに思った。

『あなたがリチャード先生のことをとても大切に思っていたのはわかっています。だからこそ、あなたは自分自身を一番傷つける方法で、リチャード先生ではなくお兄さんのほうを取ったんですよね。それは自己満足です。あなたがやりたいことをやりたいようにやった結果でしかなくて、それはリチャード先生の生活にも健康にも情操状態にも何らいい影響を与えていませんでした。渡日したリチャード先生とその周辺の人々が、結果的に問題を解決するに至ったからよかったようなものの、あなたがしたことは、リチャード先生の心に一生消えない傷を残しただけのことです』

まったくもってその通りだ、とジェフリーは頷いた。そしてそれこそが、自分が最も望んでいたことだったのかもしれないと、全てが終わってしまった今この時になって、ようやくわかりかけてきたように思った。

心のまぶたは開いているのか、閉じているのか、よくわからなかった。

動画の再生を終わらせた執事のローレントは、ヘンリーが祖母レアの資料を当たっている合間を縫って、ジェフリーに連絡をとってきた。直接会おうと掛け合ったのはジェフリーで、ローレントは否も応もない使用人らしい首肯で応じた。しらじらしさをオナラブル・ジェフリーは鼻で笑った。

老執事は淡々と、革張りのソファに腰かけた主に語りかけた。

「お話ししたいのは、今回の件をおさめるにあたって必要になる跡継ぎの問題です。リチャードさまには学生時代以降、ご結婚なさるご様子がありません。ヘンリーさまに関しては、服用している薬の副作用から、生殖機能に若干の懸念が」

「口を慎め。誰のことを話しているつもりだ」

執事室の責任者であるローレントは、寡黙《かもく》だが言葉を惜しむ男ではなく、必要な時には必要なだけ喋った。半ば以上白くなった髪の持ち主は、標本箱の中の昆虫を見定めるような顔でジェフリーを見ていた。

「人はいつまでも若くはありません。速やかに、跡継ぎが必要です」

「ひとっ走りそこのスーパーで買ってきてよ。特売でいいから」

「ジェフリーぼっちゃま」

ジェフリーは居心地が悪くなった。既に三十路《みそじ》を超えているというのに、この男に名前を呼ばれると、二十年の時をさかのぼってしまったような気分になるのである。穏やかな、しかし権力者の瞳を持った執事は、同じ口調で告げた。

「これは提案でも懸念ではなく、ただの質問なのですが、あなたさまは今後の人生をどのように歩んでゆかれるおつもりですか？　一介の使用人には与《あずか》り知らぬ問題ではありますが、ぼっちゃまの秘密をオープンにしたが最後、タブロイド紙の食指に弄《もてあそ》ばれる日々が続くことは確実なのではありませんか？」

「そうだろうね。今お前が僕にしているみたいに」

「これはただ質問しているだけでございますよ」

ジェフリーは口の形だけで、笑みを浮かべてみせた。続けなさい、と手で促すと、執事は一礼して『質問』をやめ、今度は『提案』を行った。

「まず、奥さまをお娶《めと》りください。その後、ご自分のためにお生きください。十九世紀の夫婦事情を思い出してくださいませ。バルザックの『二人の若妻の手記』にもございます、『本当の恋愛は結婚後に始まる』と」

「能書きはいいよ。直系の血筋の子どもを作れということだね」

「ご理解いただけましたか」

ジェフリーは薄笑いを浮かべた。ローレントの取引は一方的だった。ジェフリーが何より恐れるのは、自分自身の性的指向をヘンリーとリチャードに知られ、「結婚しろ」という圧力の矛先《ほこさき》が、優しい彼らに向けられることである。ヘンリーはきたるべき伯爵としての重責に耐えながら病《やまい》から復調してきたばかりである。リチャードは偽ダイヤ騒動で中断された青春を、日本という国で謳歌《おうか》していた。それぞれに幸せで、その幸せは彼らの優しさの分だけ脆《もろ》かった。

何よりもそのことを理解している相手との取引に、交渉の余地などない。

黙り込んだジェフリーに、そういえば、という風情で執事は切り出した。

「今日のお召し物はよくお似合いですね。ぼっちゃまはアメリカにお渡りになられてから、お洋服の趣味が洗練されたように思います。ですがそれはあくまでもうわべの問題でしょう。大切なのは心の問題です。うわべのものはすぐに取り換えがききます」

「そこまで干渉するつもりかい。趣味が悪いのもほどほどにしてほしいな」

「趣味《テイスト》とは非常に曖昧《あいまい》なものです。交渉をする上での絶対の条件にはなり得ません。もちろんこちらも『ついで』程度の話として申し上げているだけです。しかし、潔癖な十七歳の女性がどのような行動に出るかまでは、私どもの与り知るところではありません」

ローレントが示唆《しさ》しているのは、過去リチャードが面倒を見ていた少女、オクタヴィアのことだった。

「不思議だね。お前はまるで僕が、お前の知っている誰かと恋愛でもしているような口ぶりで話す。でも考えてみてほしいんだけど、僕ってそんなに誰かのぬくもりを四六時中必要とするような人間かな？　ビジネス上の関係の相手のことをお前がそう思い込んでいるだけじゃないの？」

「憚りながら、私はぼっちゃまのことを二十年以上見守り続けております。ぼっちゃまがどのようなものをどのように慈《いつく》しむか、どのように大事にするのか、ある程度は理解しているかと」

「ははは！　傑作だね。お前には僕の愛がわかるんだ」

「理解できるとは申し上げられません。ですが推測することは可能です」

「どんなふうに？」

「端的に申し上げれば、ぼっちゃまは決して、心から大切なものを『大切』とは仰《おっしゃ》いません。最もいまわしく、どうでもいい素振りをするものほど、ぼっちゃまが大事にしている宝物であることが多いかと」

ジェフリーは老執事を睨《にら》みつけた。

老練な執事は、穏やかな笑みを浮かべるだけだった。

永遠のような時間が過ぎたあと、はっとジェフリーは笑ってみせた。笑い飛ばせる限りの全てを笑い飛ばしてしまいたかった。

「……いいよ」

「とは？」

「何でもするってことだよ。お前にもいくらかわかってるとは思うけど、僕はもう、どうだっていいんだから。ただ生き続けることが必要なだけなんだ」

「それはとてもよい心がけかと存じます。ぼっちゃまの親しい方々も喜ばれるかと」

「で？　好きでもない女性を自分で選べるほど、僕は心の広い人間じゃないんだ。適当に選んでおいてくれないかな」

「それでは今回のいざこざが収まった頃にでも、改めてお話を」

「ああ、待ってるよ」

ローレントを見送り、部屋を出るまでの間に、ジェフリーは思いを巡らせた。

死ぬまでの予定が埋まったな、という気がした。

ほっとしたと思うべきだと、理性の領域が頷いている一方、感情の領域は、やりきれない嵐のような激情を持て余していた。これからどこかの誰かと出会い、その誰かに通り一遍の愛の言葉のようなものを囁《ささや》き、その誰かとの間に何人かの子どもを儲《もう》けて、その子どもたちに、自分はさもその子どもたちの誕生を心待ちにして、天命のように待ち望んでいたような顔で父親にならなければならなかった。そういう『業務』もあるのだと思えば、やってできないことはないだろうという自負はあったが、それをやり遂げることが果たして正しいことなのかどうかを考えろとがなる感情の声を無視し続けるのは、それなりの苦労を覚悟しなければならない道だった。

そして死ぬ。

そのあとには安らかな死が待っている。

全部を四倍速で再生できればいいのになと、ジェフリーは定額制動画チャンネルの映像を眺めるような気持ちで考えた。あまり面白いとは思えないが、関係者との対談があったりして観なければならない映画等の場合の、いつもの手段だった。自分の人生もそんな風に高速再生してしまうことができれば、くるくると螺旋を描きながら落ちてゆくペーパークラフトのように、すぐ地面に落ちることができれば、ことはもっと単純なのにと思わずにはいられなかった。つまり今自分はとても死にたいんだなと思った時、ジェフリーは笑った。

誰よりも大切に思っていた弟分に、消えない傷を残した人間に、これほど相応しい罰もなかった。

だがその『罰』という名前の『業務』が、自分以外の人間の幸福も、これほどまでに巻き込んでしまうことについては、考慮が足りなかったと思わざるを得なかった。

まっすぐ歩ける程度の生気が戻ったあと、屋敷の中をふらふらしていると、ジェフリーは作業服姿のヘンリーと出くわした。ラフな白いシャツに、茶色いベストをひっかけた姿の次期伯爵は、鬱《うつ》病に苦しんでいた時期とは別人のような顔で、まっすぐにジェフリーの顔を見た。

「……ジェフ？　どうかしたのか」

「全然。ちょっと気が向いたから帰ってきただけだよ。ハリーこそどうかしたの？　仕事中？」

「祖母の目録を確認していた。奇妙なことなのだが、オクタヴィアが交渉を持っている人々は、過去私たちの祖母との間に、何らかの宝石の取引を行っていた傾向にある」

「そうなの？」

「何故オクタヴィアがそのようなことを気にするのか、私にはわからない」

それはおそらく執事室が、クレアモント伯爵夫人であったレアの後ろ暗い取引を、伯爵家の世代交代後まで引きずらないようにするための画策だろうと、ジェフリーは告げなかった。取引をするのは自分一人でいいのである。ヘンリーにはいくらか、時間を潰していてもらう必要があった。

「ジェフ」

「ん？」

「今夜はよく寝なさい。あまり顔色がよくない」

「うん、そうするよ」

ありがとうねと言い置いて、ジェフリーは久々に使う、クレアモント屋敷の自室に戻った。インターネット回線が引かれたかどうかのタイミングで、寮生活、転居、世界を飛び回る生活と、屋移りの日々が始まったジェフリーにとっては、懐かしいというより、過去の遺物の集積場のような、金属のクッキー型のような場所だった。ここにいた人間がジェフリー・クレアモントというトラディショナルな存在であって、激しい逸脱は認められないと、屋敷そのものが主張しているような気がした。

常に完璧にメイキングされているベッドに横たわり、シーツをぐちゃぐちゃに乱したあと、ジェフリーは携帯端末を探った。指が知らない間にショートカットをして、所定の番号にコールしていた。

コール音二回で、電話番号の主は応じた。

『もしもし。どうしたの?』

ジェッフィ、という声に、ジェフリーは唇をゆがめた。この部屋に暮らしていた少年は一度も、そんな風に呼ばれたことのない愛称だった。くしゃくしゃと髪の毛を乱してから、ジェフリーは軽い笑い声をあげた。

「いや、元気かなって」

『それはこっちの台詞《せりふ》。一言で元気ないのが伝わってくるよ。うさこちゃんのお耳が垂れちゃってる。かわいそうに』

「…………」

たぶん僕は君に恋をしていると思うんだよね、とジェフリーは告げなかった。誰かを好きになるのが単純に『素晴らしいこと』であるのは子ども時代だけで、自分の存在がさまざまな責任でがんじがらめになってくる頃には、個人の好悪などという感情は、システマティックな生き方の邪魔でしかなかった。

『どうしたの?』

「いや……キム」

『はあい』

「何か………欲しいものある?」

『油田』

「油田以外で」

『金鉱山』

「それもなし」

『元気なあなた』

油田、金鉱山に次いで出てきた『元気なジェフリー』が、ジェフリーの頭の中にはうまく像を結ばなかった。戦前のアメリカのレトロなアニメーションのような、引き出しを開けたら次々に大きさの揃わないものが飛び出してくるような、胴体をぶっつりと両断された人間が、死なずに二つのパーツに分かれて動き出すような、グロテスクなコミカルさだけが、頭の中をネコとネズミのようにぐるぐるまわっていた。

ジェフリーは咳《せき》ばらいをして気分を切り替えようとした。何も言えずにいることはヨアキムに何かの手がかりを与えることになりかねない。それは望まないことだった。

「そんなもの手に入れてどうするつもりさ」

『元気になってよかったね、って頭を撫でてあげる』

「油田や金鉱山との落差がひどいね」

『さあどうだか』

「…………………キム」

『なに？　手短にして。これから仕事なんだけど』

「切らないでよ。今日はこっちからそういう風に電話を切る計画だったんだから」

『あらそう。ジェッフィ、電話切らないでちょうだい。久しぶりに声が聞けたんじゃない。寂しくなっちゃう』

「あー……」

『どうしたの。こういうこと言ってる相手の電話を切りたかったんじゃないの』

「あー…………」

『まあまあ。本当に疲れてるのね』

「ああー…………！」

唸り声と悲鳴の中間のような声をあげながら、ジェフリーの脳裏には何故か、中田正義《せいぎ》という日本人の青年がちらついた。従弟のリチャードにとって、あらゆる意味での『大事な相手』になりつつある青年が、リチャードにとって本当のところどのような相手であるのか、外野としては理解の及ばない部分があったが、その一端をジェフリーは摑んでしまったような気がした。自分から電話を切りたくない相手のことだった。

もしここで自分が、ヨアキムの手を放さないことを選べば。

かなりの確率で、リチャードが中田正義とつないだ手を放すことになりそうだった。

ジェフリーは酷薄な笑みを浮かべ、は、と冗談めかした吐息を漏らした。

「なーんてね。ちょっと驚かせたかっただけ。今度また服を選んだら連絡してね。楽しみにしてる」

『……変なこと考えないでよ』

「どんな？　別に君に絹のロープで縛ってほしいなんて思ってないよ」

『冗談はいいの。本当にやめてよ。ジェッフィ、私だってあなたのこと少しはわかってる』

胸の奥にある、なにかの楽器の弦を、マニキュアのぬられた指で弾かれたような気がした。

ジェフリーはベッドのマットレスに携帯端末を投げつけそうになったのを、ギリギリで抑え、低く押し殺した声で呻いた。言葉は抑えられなかった。

「……冗談だろ。君なんかに僕の何が、わかるっていうんだよ」

端末の向こう側で、低く息をのむ音が聞こえた。ああ彼はこういうことを言われたらショックを受けるくらいには自分を本当に好いていてくれたのだなあと、ジェフリーは穏やかな気持ちで思った。全ては過ぎ去った時代の話のように思われた。

「切るよ。じゃあ」

『……ええ』

仰々《ぎょうぎょう》しい別れの挨拶は告げず、ジェフリーは親指で通話を打ち切った。数十秒、ベッドに仰向けになって考えた末、ジェフリーは笑い始めた。

こんな別れはこれきりにしたいと。

そう思っている自分が生きる理由は。

最も長く、永久に許されない罪を犯した己を罰することであるはずなのに。

こんなことで音を上げるようでは先が思いやられると、ジェフリー・クレアモントは自らを笑った。


ヨアキムからの連絡は途絶えた。全ては無事、終わったように思われた。

こうでなくちゃねと嬉々として思えたのは初めのうちだけだった。時々ジェフリーは懐かしいクラブや、シャネルのスーツ姿のヨアキムの夢を見たが、いつ、どこにいても、彫りの深い顔には黒々とした痣が浮かび上がっていた。表情は冴えず、微笑みの一つもない。

こんなものは自己憐憫《れんびん》、あるいは逃避願望の投影にすぎないと、ジェフリーは何度も自分に言い聞かせたが、世界の全てに行き詰まってしまったような日々が続くと、夢の頻度《ひんど》は上がり、時々ヨアキムは泣いていた。もっと他の人はいないのと、明晰夢《めいせきむ》に現れたヨアキムにジェフリーは尋ねかけたが、かわりのキャストはいないようだった。

見たくない現実を見るか、見たくない夢を見るか。

寝ても覚めても逃げ場のない生活が続くうち、洗面所の鏡に現れる人間の顔が、徐々に自分自身から『剝がれてゆく』ような錯覚を、ジェフリーは抱いた。砂漠にはえた草のように乾燥した髪や、死人に似たギョロリとした目玉が、自分自身だと思えなかった。大丈夫ですかと、どこかのオフィスの誰かに尋ねられ、もちろん大丈夫だよとウインクをしても、ぞっとしたような顔をされるだけのことが増えた。

服を褒められることもなくなった。

理由はシンプルで、ヨアキムに指定された組み合わせを、とことん外して手持ちのワードローブを着用しているからである。これほどまでに衣服とは、人間の印象を左右するものかと、ジェフリーは人生で二度目の感動を味わっていた。一度目はヨアキムと仕事をし始めた頃である。全裸で過ごしでもしない限り、誰かのことを思い出さずにいるのは困難だろうと、ジェフリーは早々に諦めた。夢は続いた。

久々に泣いていない顔が見たいなあと。

思い始めた頃には、既に目元から隈《くま》が取れなくなっていた。こんな顔で兄や、従弟や、彼の庇護する日本人の青年の前に顔を出すわけにはいかないと、ふらふらしながら考えるうち、指はメールを打ち込んでいた。

『元気?』


たった一言だったが、常のヨアキムならば必ずレスポンスがある。

だが返事はなかった。即レス魔の傾向があるヨアキムにしては珍しく、翌日にもなかった。その翌日にもなかった。アドレスの着信を拒否されているとは思わなかった。

最悪の予感が胸をよぎった。

死んでいるかもしれないと思った時、ジェフリーは通り魔に刺されて殺されたような気がした。一度も連絡を取ろうとしなかった以上何が起こっていて何が把握できなくて何がどうなっていたとしてもそれは仕方がないことで、治安の悪い地域のクラブの裏のトレーラーハウスで暮らすダンサーなど、えんぴつをへし折るようにボッキリと息絶えていても何ら不思議ではなかった。

本当に死んでいるかもしれないと思った。

昔取った杵柄《きねづか》、という日本の格言の意味を思い出しながら、ジェフリーは淡々と手続きを整えた。数日後、仕事でニューヨークに飛び、全ての支度が終わった夜、タクシーを駆った。最後の舞台に上がる前の俳優のような緊張感を、ジェフリーは薄笑いを浮かべて楽しんでいた。

土曜日のクラブは開店していたが、ヨアキムの姿はなかった。

店を抜け、ジェフリーはトレーラーハウスの扉に両手をつき、耳を寄せた。誰かの体を抱きしめているような気がした。ハウスの中には微かに人の気配がある。一人ではない。会話が聞こえた。

扉の鍵はかかっていなかった。

扉を開けると、部屋の中でヨアキムが泣いていた。あたりに散らかっている紙くずやガラス片は、資源ごみ置き場のようになった『ザ・リッツ』の残骸《ざんがい》である。ヨアキムの背後には男がいた。顔面のほとんどがアルコールで赤くてかてかした、短髪の小男である。

明らかに常軌を逸した光景を、一旦《いったん》全て無視して、ジェフリーはため息をついた。

「…………正夢だった」

驚くほど冷静な声が出たことに、ジェフリーは自分で呆れていた。左右の足を踏み出すごとに、靴の裏がシノワズリのレプリカの破片を踏みつぶした。

「大丈夫、キム？」

「…………なんで」

「土曜日なのに、って？　顔が見たくなったんだ」

そういう意味じゃない、と訴えるようなくしゃくしゃの顔に、ジェフリーは張りつけたような微笑を返した。背後の男は困惑しつつ、威嚇《いかく》するように声をあげた。

「な、なんだてめえ」

「ああ、発音が下品すぎて理解できない！」

ハリウッド名物の奇妙なヤクザのように、ジェフリーは大仰に叫んでみせた。びくりとした男は、半歩後ずさりしたようだったが、トレーラーハウスから出て行こうとはしなかった。

ジェフリーは跪《ひざまず》き、ヨアキムの手を取った。スーツの膝の下では、美しい貴婦人の横顔がくしゃくしゃになっていた。

「キム、久しぶり。君に会いたかった。とっても会いたかった。すごく会いたかったよ。毎晩君の夢を見るくらい会いたかった。目を閉じると君の顔が見えるんだ。バカみたいだろ。でも本当なんだよ。人間の頭って奇妙なことをするね」

「てめえ誰だって聞いてるんだよ！」

くるりと振り返ったジェフリーに、男はもう半歩、後ずさりした。室内にはアルコールのにおいが充満している。酔っても危機意識は手放さないタイプなんだな、とジェフリーは男を冷静に考察した。

「僕がわからないんですか？　本当に？」

邪悪な笑みを浮かべ、酷薄に笑う『謎の男』に、男はまた後ろに退《さ》がった。ジェフリーは一歩踏み出した。

「なら、ちょうどいい。自己紹介をさせてください。すみませんねえ、怖がらせちゃって。からかうのが僕の性分なので。ところで、好きなネットメディアってあります？」

「はあ？」

「よくアクセスするニュースサイトとか。BPBニュースとか、Nニュースとか見てます？」

「そ、それがどうしたんだ」

「あー」

にっこりと微笑み、ジェフリーは懐《ふところ》に手を突っ込んだ。銃の登場かと身をすくませる男の前で、ジェフリーは携帯端末をひらひらとさせ、これ見よがしに電話をかけた。相手が銃を持っていなかったことへの失望を抱いていることが、ジェフリー自身滑稽《こっけい》だった。ともかく電話はつながった。

「こんばんは、マイティ！　こんな時間にごめんね。Nニュースの広告欄を買いたいんだ。『チャーリー・エギンスにありがとう！　地獄《じごく》みたいに愛してるよ！』。これだけでいい。即配信で。一カ月表示。──うん、値段はそれでいいよ。あとで振り込んでおくから」

「は……？　な、なんで、俺の名前を」

「なーんて、茶番でした。これと同じ会話を、ここに来る前に済ませておいたんです。というわけでご覧ください」

はいどうぞ、と言いながら、ジェフリーは端末の画面を男に――チャーリー・エギンスに差し出した。

ヨアキムの血で汚れた拳を隠すように、ジーンズの尻で神経質にぬぐい、エギンスはおっかなびっくり液晶画面を覗き込んだ。ジェフリーが告げた通りの文言が、合衆国大統領選挙の広告のような極太の書体で、赤い背景に白抜きで表示されている。周囲には特売のスーパーマーケットやポルノ、PCパーツの広告が乱舞している。その中にたった一つだけ、意味のわからない言葉が、謎めいた暗号のようにぽっかりと浮かんでいた。

ジェフリーが微笑を崩さずにいると、エギンスはぞっとしたように後ずさりした。

「……キム、お前、こいつに俺のことを」

「彼に教わったわけじゃありませんよ。僕は何でも知っているんです。何でもできる人間なので。誰にも斟酌《しんしゃく》しませんし、何にも怖くないんです。守りたいものだってもう全然ありませんから。こういう人間を敵に回すのは賢いやり方じゃありませんね。最近調子はどうです？　いきなりキムから流れ込むお金が途絶えて寂しかったんじゃありませんか？　それで飲酒の量が増えて、病院にかかって？　カウンセリングにも通っているんですね、奥さんと一緒に。それがいいですよ、やはり生活を共にする伴侶《はんりょ》に隠し事をするのはつらいでしょうからね。まあ、あなた方夫婦が揃って、僕の愛人から搾取《さくしゅ》し続けていたことはわかっていたんですが」

「ジェフリー。やめて。今すぐやめて」

「ジェッフィって呼んでくれないとだめ」

「ジェッフィ！」

「ごめんね。やめない」

　にっこりと、ビジネス用のスマイルを浮かべたジェフリーに、ヨアキムは全てを悟ったようだった。甘い色の瞳が絶望に沈むのを、ジェフリーは嬉々とした表情のまま眺めていた。ヨアキムの『本命の彼氏』は、脂《あぶら》汗を流しながら立ちすくんでいる。

「何が…………何が望みなんだ。お前、何なんだ。何なんだよ……」

　ほとんど泣きそうな声色に、サディスト風の笑みを返してから、ジェフリーは男の耳元で囁いた。

「あなたが人生に行き詰まった時、あなたがもうどうしようもないほどの苦しみに襲われた時、自分の生きる意味を見失いそうになった時、僕はあなたを後ろから見ています。あなたの背中に張りついた黒い目みたいに、あなたにはわからない場所からじっと見ていますよ。こういうのほんと愉《たの》しいですね。腸《はらわた》の底から愉しくてたまりません」

「お、おれは、ころされるのか」

「さあ?　それは。ウェブサイトに広告が出て、僕のメッセージを正しく理解してくれる人が何人現れるのかによりますけど」

「……正しく理解?」

「あっは。おめでたい。僕が本当にあなたに『ありがとう!』なんてメッセージを送ったとでも?」

数秒の静寂のあと、何らかの可能性に行き当たったと思しき男は、ひっと息をのんで身をすくませた。追い打ちをかけるようにジェフリーが甘やかな微笑みを返すと、男は身を翻《ひるがえ》し、トレーラーハウスを飛び出していった。何故か扉を律儀に閉めていった。

小さく声を上げて笑いながら、ジェフリーはその姿を見送り、微笑を浮かべたまま振り返った。

荒れ果てたリッツを背景に、ヨアキムが呆然としていた。

顔に微笑みを張りつけたまま、ジェフリーは懐に手を突っ込み、札束の塊《かたまり》を落とした。もう一つ落とした。最後にもう一つ落とした。ドサドサドサという重い鞄《かばん》を落としたような音に、ヨアキムが身をひきつらせたあと、ジェフリーは少しだけ、笑みを薄くした。

泣きそうな顔をしているヨアキムに、ジェフリーは告げた。

「『ことの終わり《エンド・オブ・アフェア》』」

一語一語、はっきりと嚙んでふくめるように発音すると、ヨアキムは目を見開いた。言わんとしていることは間違いなく、過不足なく伝わったようだと、ジェフリーは笑みを深くした。心のまぶたはきつく閉じ続けたままである。外からは何も入ってくることはない。

「面白いから、暇ができたら読んでみるといいよ」

「……ジェッフィ」

「顔が見られて嬉しかった。早く病院行ってね。じゃ」

ピアニストのように指先で手を振りながら、ジェフリーは身を翻した。ジェッフィ、という声が追ってきたが、その時にはもう待たせていたタクシーの後部座席に乗り込んだところだった。出して、という声と同時に、車はスタートした。

「…………約束を破っちゃったね、『ジェッフィ』」

幸せにしないこと、すなわち互いの人生に干渉しないこと。

ここまで徹底的に破ってしまえば、約束もなにもあったものではないだろうと、ジェフリーは自嘲《じちょう》の笑みを浮かべた。アルコールのにおいの染みついた服は不快で、シャツには汗がにじんでいたが、心は軽く、さわやかだった。

自分自身の重みから解放されたような気がした。

これこそが本当に『ことの終わり』だったのだなと、ジェフリーは悟った。もう全てが終わりに差し掛かり始めた今、どうにかして自分の体を動かさなければならないことはわかっていたが、体が重くて仕方がなかった。巨大な光が山の峰《みね》に沈んでしまい、もう二度と上がってこないことを、飲み込まざるを得ない状況が近づいていた。

タクシーが行きつけのホテルへと向かう間、ジェフリーはイギリスの執事に連絡をとった。屋敷の中で父が死にかけている。もう一人誰かがどこかで死にかけているような気がしたが、それはより大局的な視点から眺めれば、わりあいどうでもいいことだった。

「やあローリー。例の件ですけど、進捗《しんちょく》はどうです？　めぼしい相手が見つかったなら、早速デートしますよ。何だかうきうきした気分なんです。いかがですか？」

ローレントは淡々と、あらかじめ準備されていたであろう人名と、彼女たちの予定を告げ、数秒後にはジェフリーのメールアドレスに詳細を送っていた。ありがとうと明るく挨拶して、ジェフリーは回線を打ち切った。

嘔吐《おうと》の感覚を殺しながら、ジェフリーは後部座席の窓にもたれ、呟いた。タクシーの運転手にわからないよう日本語で。

「まだ、死にたくないな……死ねない、死にたくない、死にたくないなあ……」

何故なら自分には生きて償わなければならない罪があるのだからと。

自分に言い聞かせる間、ジェフリーは何故かずっと、崩れ落ちた『ザ・リッツ』のことばかり考えていた。

スリランカのホテルで、ジェフリーは一生分吐いたような気がした。吐かなくていいものまで吐き続けて、全てが終わった時には、紙のようにぺらぺらになっていた。だからどうしてみんな、他人の秘匿《ひとく》情報を簡単に開示してしまうのかと。

　昔の自分から強烈なアッパーカットをくらったような気がしている間に、全ては終わり、新しい何かが始まっていた。

　久しぶりにロンドンのホテルに滞在し、二日間寝込んでいると、部屋に来客があった。ルームサービスですと告げる声に聞きおぼえがあり、ジェフリーはよろよろと体を起こし、くたびれたパジャマ姿で扉を開けた。

　扉の向こうにいたのは、見たことのない人間だった。アッシュグレイの髪と、つややかな肌には見覚えがあったが、のっぺりとしたノーメイクの顔に見覚えがない。

　君？　君なの？　と無言で確かめるような眼差しのあと、ヨアキムの瞳が潤んだ。痣のないゆでたまごのような皮膚《ひふ》を、大粒の涙がつたたった。

「……どこで何があったって？」

　精一杯の気取った声で問いかけたあと、ヨアキムはジェフリーをハグした。こうしていいかと問いかけるような控え目なハグに、ジェフリーは笑いそうになった。嵐に揉《も》まれるか殴り飛ばされるかの二択のような激動の日々が過ぎた末に寄越される人材としては、この上ない適役だった。

散らかす気力もなく、ただ放置していた部屋の中にヨアキムを通すと、ジェフリーは不意に部屋の中の小さな絵や壁紙の青い小花模様に気づいた。花のなかった花瓶《かびん》に、あるべき花がすとんと据えられたような、あるいはからっぽだったレコードプレーヤーにようやくレコードが配置されたような、そんな気分だった。

何もかもが新しく見える部屋の中で、まいったなとジェフリーは頭をかいた。

「これからの人生設計が、いろいろあったんだけど……全部ふっとんじゃったよ。今はここで『一回休み』をしてるところ」

「無理に喋らなくていいよ」

「ありがと」

部屋の中には沈黙が満ちた。

互いの出方を探るような、労わり合うような時間のあと、先に口を開いたのはヨアキムだった。

「一応言っておくね。私をここに寄越したのはあなたの兄さんだけど、私は彼の味方ってわけじゃないから」

「どういう意味？」

「彼にひどいことされたって聞いたから」

「…………ちなみにそれは、誰から聞いたの？」

「お兄さん本人」

「まいったな。わかっててやったのか、あの人は」

「あなたたちってどういう兄弟なの？」

「たぶんだけど、ずっと保留にしてたそれを、これから決めることになるんだと思う」

ジェフリーは肩をすくめてみせた。

今までのジェフリーにとって、ヘンリーとは兄であり、次期伯爵という『盛り立てなければならない』対象であり、同時に庇護《れんが》の対象でもあった。生まれた瞬間から、かくあるべしと決められていた関係である。煉瓦のようなそれらのきまりごとの隙間を埋める、モルタルのような愛情が、ジェフリーとヘンリーをつなぐ、兄弟としての絆《きずな》だった。リチャードをイギリス出国にかりたてた謀略《ぼうりやく》によって、二人のつながりは強くなったかのように思われたが、それもまた新たな煉瓦を増やしただけのことだった。

どういう兄で、どういう弟なのか。

自分たちで考える必要のなかったことを、これから決めなければならないのだろうと、ジェフリーは予感していた。互いに人生の半分、あるいは三分の一程度は過ぎてしまった同士である。生半《なまなか》なことではないだろうと予測していたが、今度こそ逃げ道はなかった。

苦笑いの顔のまま、ジェフリーはヨアキムの名前を呼んだ。

「キム、何かいろいろ、ディナーとかあったらしいけど、彼らは君がどういう人で、僕とどういう関係だったのかなんて全然知らないんだよ。言葉は悪いけど、ただ僕専門の救急介護士みたいな存在がいるとわかって、ちょうどいいから連れてきただけなんだ」

「ジェッフィあなた、本当に友達いないのね」

「傷心のビジネス・パートナーを労わってよ。ああでも別に、永遠に労わってくれなんて言わないから、そこは安心して」

ヨアキムはジェフリーから目をそらさなかった。夜空の色の瞳は真摯な色にゆらめいていて、ジェフリーは涙の予感を察知した。まいったなとちゃかすように首をかしげてみせたつもりだったが、表情はうまく動かなかった。

「……あー……僕の兄や、従弟から、変な話を聞かされた？　あの人たちの話術の巧みさはね、三枚舌外交の時代のイギリス人もびっくりだから、丸め込まれるのも無理はないと思うけど」

「ごめんなさい。飽きたの」

「え？」

「あなたとこれまでみたいな関係を続けることに、私は飽きたの」

自分の表情が凍りついてしまったことに、ジェフリーは気づいた。笑え、笑えと、胸の奥ではロボットの操縦桿《かん》を握るパイロットのような役割の小人が、本体の胸を叩き続けていたが、笑顔はどうしても出てこなかった。飽きたという言葉が氷の杭《くい》のように胸に突き刺さっていて、パーツがうまく動かなかった。

　ヨアキムはジェフリーとの距離を大股に詰め、長い指で左右から頬を挟み込むと、化粧がなくてもよく動く表情を、くしゃりと歪めた。

「ジェッフィ、大切なことを言うからよく聞いて。私は幸せになることにしたの」

「………あ？　そう、そうなんだね。お幸せに」

「そうじゃないの！　もう！」

　顔を歪めたヨアキムは、ものわかりの悪い子どもを諭すように、ゆっくりと言葉を続けた。

「わかって、ジェッフィ。人間は誰でも幸せになっていいの。私もあなたも、もういいのよ」

「……いいって、何が」

「私は今までずっとこだわっていたことを諦めるって決めた。ううんもう諦めたの。自分の罪悪感をなぐさめるために、いつまでも自分の心に鞭《むち》を打ち続けるのを諦めた。だってそんなことには、意味がないから。だって一度起こってしまったことは、もうどうしても取り返しがつかないから。私のせいで車で死んだあの人はもう戻ってこないし、あの人のゲスな兄弟に貢いでも何の意味もないから。あなただって本当はわかってたんでしょ。馬鹿なことをしているって、わかっていて私に付き合ってくれたんでしょ。意味があるのは、そっちなのよ。ジェッフィ、自己満足の罪悪感よりも、あなたが私の愚《おろ》かしさに付き合ってくれた優しさのほうを、私は取りたいの」

「…………」

「私は幸せになるって決めたの。ううん、ジェッフィ、あなたのおかげで、私は幸せになりたくなったの。そういう生活を送ってる自分の写真に、『いいね』を押してあげたくなったの」

ヨアキムが黙り、音がなくなった空間で、ジェフリーは軽く、頷いた。数度同じ仕草を繰り返すと、ヨアキムも同じ仕草で応《こた》えた。

「お願いジェッフィ、あなたも諦めて。自分のことを幸せにしないって決まりは、もう捨てて」

「……なんで？」

「何でもなにもないよ！　ただお願いしてるだけ！」

何故なら、に続く言葉を、ジェフリーは一千通りほど想像していた。何故なら私の幸せにはあなたの幸せが不可欠だから、何故なら不幸な状態に身を置いていることは不自然だから。何故なら、何故なら、何故なら。理由はいくらでも、無限に想像できた。

人が幸せになっていい理由など、山のようにある。

そんなことはわかっていた。

それでもイヤだという時に、理詰めの理由を並べられても、同じく理屈でつっぱねてしまう自分の頭の優秀さを、ジェフリーはよく知っていた。だが。

『ただお願い』された時、それをどうやって断ればよいのか。

それだけはわからなかった。

ジェフリーは戸惑いながら、ヨアキムの頰に手を伸ばし、透明な雫《しずく》を指先でぬぐった。

「……泣かないでよ」

「仕方ないじゃない。あなたより涙もろいのよ。ああ、これでわかったでしょ。化粧してこなかった理由」

「……ノーメイクのほうが美人だから？」

「それもあるけど」

涙目でふざけてみせるヨアキムに、ジェフリーは微笑みかけた。紙のようなぺらぺらの状態で浮かべられる笑みには、どうあがいても酷薄さは宿らなかった。

「…………仕方ないな」

ぽかりと。

水底で吐いた泡が、自然と水面を目指して上がってゆくように。

ジェフリーの小さな呟きは、ヨアキムの中に受け止められ、ささやかな笑顔になって弾けた。

「──それで、大体のところはそういう運びだったんだけど」

「ああ」

「どうしても一つ確かめたいことがあって」

「何なりと」

「あれから大丈夫？」

テニスコートが何面も張れそうな、けたはずれに広い芝生の『中庭』を眺めるポーチで、二人の男は会話していた。晴れ上がった空の下、屋敷の軒先にあるテーブルの下だけが日陰で、アンティークのテーブルの上には、甘やかなパステルカラーで絵付けされた磁器のカップが紅茶で満たされている。椅子は二つきりだった。

腰かけているのは、ほどよくラフな、それでいて趣味の良いブルーのセットアップ姿のジェフリー・クレアモント。

そして十九世紀の世界から出てきたような、黒ずくめのヘンリー・クレアモント。

新たな伯爵は、父の喪《も》が明けるまでは、ヴィクトリア女王のように黒い衣装で通すとのことだった。

弟に比べてやや色白なヘンリーは、小さな吐息を漏らしたあと、硬質な笑みを浮かべた。

「お前はまた、私のことを気遣っているんだね」

「いや、そうでもない」

「うん。そのほうがいい」

「折衷案《せっちゅう》なんだよ。ヨアキムには『殴ってきなさい』って言われたんだけど、そうするとなんだか、僕がヘンリーを許そうとしてるみたいに思えるだろ。あそこで僕のプライバシーを大暴露した件について」

ジェフリーがヘンリーに告げているのは、スリランカのホテルにおいて、複数人の前で弟の個人的な情報を同意なく暴露した件だった。ヨアキムと勝手に会っていたことについてはまあ不問にすると前置きしつつ、ジェフリーは続けた。

「あのね、人が死ぬんだよ。アウティングされると、人は死ぬの。精神的な殺人。違法行為でもある。裁判になったら負けて、賠償金《ばいしょう》を支払うことになるんだよ。そこはオーケー？」

「わかっている」

「わかってたのにやったのか。それ僕に死ねってこと？」

「……そんなつもりはなかった。だが結果としてそうなってしまった」

「うーん」

ジェフリーは唇をとがらせ、買い物に迷うマダムのように、人差し指でとんとんと叩いた。そして指の動きを止め、ヘンリーをちらと見た。

「許さないよ」

「…………」

「許す気なんか微塵《みじん》もないからね」

「それでも私と口をきいてくれることに、心から感謝する」

「話がしたかったからパリから飛んできたんだよ。時間を割いてくれてありがとう」

伯爵家の領地に含まれる、広大な森の上を、小さな鳥たちが鳴きかわしながら飛翔していった。時間の流れそのものを眺めるように、ヘンリーは空をゆく雲をじっと見つめていた。ジェフリーはやれやれと肩をすくめた。

「それで、『話とは?』とか言わないの?」

「……言う必要があるかい? どちらかというと、お前が私の話を聞きたがっているように思うのだが」

「わかってるなら早く切り出しなよ」

ジェフリーは紅茶を一口飲んだあと、ヘンリーを促した。

穏やかに雲の流れを見つめながら、伯爵は口を開いた。

「私はずっと、お前と兄弟になりたかった」

「意味がわからない」

「……そうだろうね」

「でも言いたいことは、わかると思うよ」

ヘンリーは微笑し、ジェフリーの顔を見た。

「昔の話だが、私は自分のことを、二つのりんごの籠《かご》に置かれた、一つのプラムだと思っていた。光り輝く二つのりんごと並べられた、土に落ちてゆがんだプラムだ。お前とリチャードのどちらかが次期伯爵でありさえすればいいのに、何故なら私は優秀ではないのだからと、そんなことばかり考えていた。コンプレックスに食いつぶされた幼い子どもだった。私はお前とリチャードが羨《うらや》ましかった。『彼らが羨ましい』と『自分が憎い』の区別がつかなくなるほど羨ましかった。そうして私は心を病み、回復し、いつの間にか伯爵になっていた」

「続けて」

「ありがとう」

ヘンリーは優雅な所作で紅茶を一口飲むと、再び静かに言葉を続けた。語調は穏やかだったが、胸の奥から赤い肉を抉《えぐ》り出すような覚悟の気配に、ジェフリーは微かに震えた。

「だが今ここに至ってわかったのは、『羨ましい』にも『憎い』にも、大した意味はなかったということだ。伯爵の椅子に、才能も何も関係ない。誰でもいいんだ。こんな立場になるのは、誰でもいい。生まれつきそうと決まっていたというだけの、誕生日の日付のようなものだ。今どきフランスとの戦争に馬とともに駆り出されるようなこともない。にもかかわらず幼い頃からの幻にとらわれ続けた私は、それが何か特別なものであると思い込んでいた。だがそれは、ある意味では正しかった」

「……まあ、それはそうかもね。世界に何人も『伯爵』がいるわけじゃないし」

「そうだね。クレアモント家を背負って立つという意味もあるだろう」

「そのあたりは僕がどうにかできると思うけど」

「経済基盤の話だけではないさ」

厳しい声に、ジェフリーは微かに目を見開いた。鳥の声が再び、森の上に響き渡っていた。森の手前にある芝草の土地には、雲が淡い影を落としている。

ヘンリーはじっと、弟の姿を見ていた。

「事ここに至れば、私の道は二つに一つしかない。自分が背負わされた責任に背を向けるか、それとも全力で背負うと決めるか」

「…………」

「たったそれだけのことだったんだ」

鳥の声は止んだ。

静けさに満ちた芝草の庭の上を、無音で風が駆け抜けていった。ジェフリーは小さな拍手を送った。

「一皮むけたってことかな。おめでとう。でも言ってることとやってることがちぐはぐじゃない？」

「そうだね」

「謝罪はなし？」

「…………口先だけなら謝ることもできる。だがそれで、砂時計をさかさまにするように、全てが元に戻るわけではない」

「どういうこと？」

ジェフリーは軽薄な口調で尋ねた。尋ねる必要のないことをわざわざ尋ねる行為はただの確認のようなものだった。

ヘンリーはくたびれた笑みを浮かべ、ジェフリーの顔を見た。

「私はお前に永遠に許されたくない」

「…………うーん。でも僕を『守る』って言ったわけでしょ？」

「もちろん。これからお前にどのようなトラブルが降りかかろうと、問題が発生しようと、全て私が解決してみせる。お前が気づかない間に、そっと障害物をとりのけるようにね。何故なら私がしたことは取り返しがつかないからだ。何をしてもあがなうことができないことだからだ。お前が隠していたことを暴き立てたこともそうだが、それまでにお前に背負わせてきた、『リチャードか私か』を選ばせるような、子どもじみた独占欲に付き合わせたこともまた、取り返しのつかない愚行だ」

僕はもう気にしてないけどね、とジェフリーは言おうと思って、やめた。そんな言葉で水を差されたくないとヘンリーが思っていることはよくわかったし、言ったところで何が変わるとも思えなかった。

そのかわりに、ジェフリーは得意な表情を使うことにした。

酷薄な笑みである。

「ヘンリー。君にそんなこと言われるまでもなく、僕に君を許す気はないからね」

「……ああ」

「許さないからね」

「ああ」

満足したため息のような声を漏らして、ヘンリーは頷いた。まったく、と内心呆れながら、ジェフリーは同じ顔で言葉を続けた。

「あのね、いくら反省してくれたところで僕が精神的にこうむった被害が軽減されるわけじゃないから。何をしてくれても無駄だから。これからは今まで我慢してた嫌味もずけずけ言うからそのつもりで」

「よろしく頼む」

「はいはい。手始めに、金にあかせてハッカーを雇うくらいなら、インスタグラムとツイッターの区別くらいつけられるようになってよ。現代人なんでしょ？　オンラインの音楽活動もしてるんだから、そのくらいできるよね？」

「そのあたりは年下の友達に教わって、何とか……」

「『何とか』って、まあいいけど、それなりに努力はしてよ。あぶなっかしいからね。今後もしわけのわからない他人に大金を渡さないと解決しないような問題にぶち当たったら、まず僕に相談すること。いいね。だって僕は君を許してないんだから」

「そうだね」

「それから、ひとの彼氏を勝手にディナーに誘ったこともついでに許してないからね。めちゃめちゃ緊張して死にそうだったって言ってたよ。次からは僕も同席するから。あー、喉がかわいちゃったな。紅茶のおかわり持ってきてくれる？」

「ではメイドを呼ぼう」

　卓上のベルを慣れた仕草で鳴らしながら、ヘンリーは微笑んでいた。『酷薄な笑顔』に疲れてきたジェフリーは、両頰に手を当ててぐいぐいと揉んだあと。

　芝生の上を吹きわたる風よりも小さな声で、口を開いた。

「ハリー」

「……ん？」

　頭をめぐらせたヘンリーに向かって、ジェフリーは首を横に振った。

「ちょっと呼びたかっただけ」

「…………ありがとう、ジェフ」

「何のことだかわからない」

とぼけた顔で肩をすくめたあと、ジェフリーは新しい紅茶をじっくり味わい、席を立った。

「もう帰るのか？」

「うん。どれだけ仕事を休んでもいいって、愛《いと》しのお兄さまがお墨《すみ》付きをくれちゃったわけだし。アメリカのほうは目を白黒させてるかもしれないけどね。いきなり僕が『体調不良』で引っ込んだかと思えば、伯爵さま本人が出張ってきたんだから」

「代替わりの顔見世のようなものだと思われている。タイミングがよかったようだ」

「それは何より」

「その……そちらの居心地はどうだね？」

ヘンリーが尋ねると、ジェフリーはくすぐったそうな顔で微笑んだ。

「どうって言われてもね…………まあ、ゴロゴロするにはいいところだよ」

「何よりだ。ヨアキムさんにもよろしく言ってくれ」

「言わなーい」

「残念だ」

「よく言うよ。ホットラインを持ってるくせに」

背中越しに手を振って、ジェフリーはポーチから屋敷の中に入った。様変わりした使用人たちと挨拶をかわしつつ、絨毯の上をゆっくりと歩き、屋敷の外へと向かう。

晴れた空の下には、英国名物の丘陵地帯の風景が、どこまでも広がっていた。南にまっすぐ。どこまでも飛んでゆけば、ドーヴァー海峡に出る島国である。海の向こうには自由と平等と愛の国があった。

「……さてと。帰るかな」

ジェフリーのさしあたりの『家』は、パリの中心部、ヴァンドーム広場の宝石店街に軒を連ねる、宝石箱のようなホテルだった。これから帰るね、とメッセージを送ると、即レス魔の相棒からは、キスマークの返信が届いた。元気にしているようだった。それだけでジェフリーの胸は何故か、温かく満たされた。

Ca,c’ est
Paris

「サ・セ・パリ……！」

意味は『これがパリ』。懐かしいシャンソンを由来とする決まり文句に、ジェフリーは鼻声で不満の意を表明した。

「リ、が気になるなあ。舌を使わないで『リ』って発音してみてよ。ヒ、の音みたいに」

「出た。言語オタク。あーあー、聞こえなーい」

「それは僕の従弟《いとこ》の別名だよ」

「どっちもどっち。ああ、サ・セ・パリ……！　ほんとにパリ……！」

「そうだねえ」

パリ一区の西側、柱の上のナポレオンに見下ろされているヴァンドーム広場で、ヨアキムは恋する乙女のように舞い上がっていた。パリである。ロンドンのホテルステイに飽きた頃、ジェフリーはふと思い立ち、『ザ・リッツ』の支配人に連絡をとり、最上階のスイートが空き室になっていることを確認すると、一カ月分の予約をおさえた。そして何でもないそぶりで、ちょっと付き合ってとヨアキムを誘い、リッツに連れ込んだ。ギャーと叫んで気絶するふりまでしてヨアキムは喜び、明日死ぬかもしれないと真顔で呻《うめ》き始めてジェフリーを心配させた。隣にいるだけで楽しい相手だった。

「パリ。ああパリ。私本当にパリにいるのね。何かしなきゃ。ヨアキム、何かしなきゃだめよ。ああっ、でも何をすればいいのか全然わからない！　『死ぬまでに一度は』って夢だったのに」

「何でもすればいいよ。案内する。十九世紀絵画を扱ってる画廊に行こうか？」

「そんなところに行ったら興奮して死んじゃうでしょ！　良識的に考えて」

「ごめん。じゃあ、マキシム・ド・パリとか」

「そっちも死んじゃう！」

「困ったねえ」

とりあえず歩く？　というジェフリーの提案に、それが一番よさそう、とヨアキムも同意した。二人は広場を起点に、雅《みやび》な街並みを歩き始めた。

「キム、写真撮らなくていいの？」

「いいの。初めてのパリは一生に一度しかないんだから。そんな時に画面ごしに風景を眺めるなんてもったいないよ」

「いいこと言うねえ」

「全肯定のジェッフィって不気味。まだおつかれモード？」

「見ればわかるだろ。くたくただよ」

「そうは見えないけど」

「じゃあ僕も浮かれてるのかも」

ジェフリーはにこりと笑った。ビジネス用と私用の中間地点にある、伊達《だて》男風の微笑だった。

「君と初めてのパリだから」

そっと手を繋《つな》ぎ、ジェフリーは囁《ささや》いた。

「きれいだよ、キム」

「………何言ってるの？　熱？」

「あれ、そういうリアクション？　せっかく愛の国だから、愛を囁いておこうと思って」

「あなたの愛はもっとまわりくどくてドロドロしてると思うけど」

にこりと笑ったヨアキムは、きらきらの唇に笑みを浮かべた。ほんとにきれいだなとジェフリーが呟《つぶや》くと、呆《あき》れたように笑った。

「ジェッフィ、何回目のパリ？」

「覚えてない。仕事場だし」

「やっぱり慣れると幻滅するもの？」

「そうでもないよ。首都機能ってどこの国でも決まりきっているから、似通った街になりがちだけど、パリはパリって感じがするから」

「サ・セ・パリね」

「リ、の発音がなあ……」

「それは言いっこなし！」

ヴァンドーム広場に面する、リッツの裏側に、二人の最初の目的地はあった。

ショーウィンドーの奥で、きらきらと輝くワンピース、スーツ、ハンドバッグ。そして歴史的な建物をそのまま用いたビルディング。ヨアキムは小さく歓声を上げた。

「シャネル。マドモワゼル・シャネルの街のシャネル。最高ね。写真を撮ってもいい？

ショーウィンドーの陳列がダンスの参考になりそう」

「中に入らないの？」

「いいの。何か欲しいわけじゃないから」

「せっかくシャネルまで来たのに」

「見てるだけで満足なの。そもそも置いておく場所がないでしょ」

「引っ越し先をウォークインクローゼットのある家にすればいいのに」

「ジェッフィ」

あのね、と言いながら、ヨアキムは立ち止まり、ジェフリーの顔をまっすぐに見た。いもしない姉から説教を受ける直前のような緊張感に、ジェフリーは背筋を正した。

「私とあなたはね、全然違う世界からやってきた人なの」

「そこそこ理解してはいるつもりだよ」

「私もそう。『つもり』ではいる。でもやっぱり全然違うのよ。一朝一夕ですり合わせができるようなものじゃない。私にとってはシャネルもパリも『まぼろしみたいな憧《あこが》れの象徴』だけど、あなたには『仕事関係のなにか』でしょ。私にとっての貯蓄が『ただの夢』だったのに、あなたには『たくさんあるもの』でしかないのと同じ。それについてどうこう言うつもりはないの。肌の色が違うのと同じ、生まれつきの違いでしかないから。でも私はその違いにすり潰される気はない。いきなりハイエンドに合わせようとしてメンタルが死ぬのは御免だし、あなたに一ドルマックばっかり食べさせるのも嫌」

ヨアキムはびしりと指をつきだし、戦いに挑む司令官のような厳しい表情を作った。

「これは長期戦よ。これからもずっとあなたの傍《そば》にくっついているためには、その違いに少しずつ慣れていくしかない。私たちは違う水を飲んで育った生き物だけど、だからってうまくやれないわけじゃないのはもうわかってる。問題はうまくやり続けることよ。大変なミッションになりそうだけど、私は頑張るつもり。そして勝つ。だからいきなり無理はしないって決めてるの。あしからず」

マスカラのたっぷりついたまつげに、粋《いき》なウインクを寄越されて、ジェフリーは笑った。ため息のような微笑だった。

「………君はほんとに強い人だな」

「強くなければ生きていけないのよ」

「優しくなければ生きる資格もないしね」

「なにそれ？」

「あれ？　チャンドラーの引用じゃないの？」

「また小説か何かの話？」

「うん。今度貸すよ。けっこう好きなんだ」

「そこの角に本屋さんがあるじゃない。買ってよ」

「英語版あるかな……」

　あった。レイモンド・チャンドラーの『プレイバック』はなかったものの、同じ作者の『ロング・グッドバイ』を抱えて、ヨアキムは上機嫌にパリの街を歩いた。縁起でもない名前の本を買ってしまったことを多少悔やみながら、ジェフリーはその隣に従った。パパラッチの姿はない。髪をワックスでかためてサングラスをして、映画の中から出てきたような黒ずくめの格好で決めていると、通行者すら二人を避けていった。

「キム、この格好さあ、本当に僕に似合ってる？」

「正直に言っていい？」

「頼むよ」

「ドタイプ。大好き。イケてるよジェッフィ」

「あー……変な趣味の人と付き合っちゃったなあ……」

「はいはいそんなこと言ったってもう遅いのよ。あなたのワードローブは私の趣味の服でいっぱいなんだから。そこの露店のアイス買って。マストバイよ」

「ピスタチオがなかったら別の店に行くよ。僕バニラとピスタチオ以外食べないから」

「あら初耳。おぼえとくね」

今まで誰にも言ったことがない秘密なんだよ、とジェフリーは言わなかった。ただそうやって少しずつ、秘密をうちあけあってゆくうちに、すり合わせがうまくゆくことを祈るしかなかった。リチャードと出会った時、中田正義《なかたせいぎ》はそういえば十代だったのだなあと、ジェフリーはぼんやりと考えていた。すり合わせをしているとも気づかないうちに、外の世界を受容してしまう年頃である。それがいいことだったのか、そうでもなかったのかはわからない。今後の人生の中で、中田正義自身が決めることである。

シャネルの店舗から南に歩いた場所にある、チュイルリー公園の芝生の上で、ジェフリーとヨアキムはアイスクリームを食べた。太陽の光があたってぽかぽかして、黒ずくめの男は明らかに浮いていた。

「キムさあ……」

「はいはい。お洋服屋さんに入りたいって言うんでしょ。どこでもいいよ。見立ててあげる」

「ああ、そういう狙いだったのか」

「まあねー」

言うまでもなく、パリはファッションの都である。ジェフリーはいつも自分が使っている新品ばかりの店ではなく、ビンテージ品のある古着店を選び、ヨアキムを誘《いざな》った。予想通りにヨアキムは目をきらきらさせ、こっちがいい、こっちもいいと、バーゲン会場を訪れたバイヤーのように動き回っては、ジェフリーをマネキン人形にした。はじめのうちはコンサバティブな服を選んでいたヨアキムだったが、徐々にヒートアップしてくると、パンク趣味のまじったビンテージを選び出してくるようになった。黒革。サングラス。やぶけたジーンズ。

「うわあ。懐かし系の歌番組に出てくる人みたいだ。裾《すそ》がビリビリだよ」

「ビリビリってほどでもないよ。そんなに派手でもないし。これは七十年代のパンクじゃなくてリバイバルの服だから、私からすればけっこう大人しめ」

「区別がつかないよ。僕には似合ってないと思う」

「ううん、似合ってるよ。少なくともこういう服、嫌いじゃないでしょ」

ジェフリーの脳裏をよぎったのは、昔むかし、ひどい服を着て父伯爵を涙ぐませた思い出だった。父に対する申し訳なさと幻滅を同時に味わった、子ども時代の終わりを告げるイベントで、家族以外の誰にも他言したことのない『過去の趣味』の話だった。

ほこりっぽい店の中で、ぱちぱちとまばたきをしながら、ジェフリーは首をかしげた。

「……言ったっけ？」

「何を？」

「パンクのこと」

「知らない。でもあなたの目がきらっとするのは、こういうニュアンスのお洋服を私が選んであげた時だよね。だから好きだと思ったの。似合う似合わないなんて、自分で決めつけることじゃないし。何事もセンスとチョイス！　全身ピアスでバチバチにしようってわけじゃないんだから、時には遊び心も加えてあげなきゃ」

「……すり合わせだね」

「そういうこと」

にこりと笑ったヨアキムは、ひととおりジェフリーの着替えを終わらせてしまうと、自分の服を選び始めた。『ビンテージ』と書かれた高い棚は覗《のぞ》かず、『ニューロ』の棚から掘り出し物を見つけようとする後ろ姿を、ジェフリーはじっと見つめ、見つめ、見つめ続けた。そして声をかけた。

「キム。ちょっと提案があるんだけど」

「なに。またアイスが食べたくなったの？」

「やっぱりシャネルに戻ろうよ」

「……そんなにこのお店ほこりっぽい？」

「そういうわけじゃないし、君が選んでくれた服はとても好き。好きだから戻りたいんだ」

首をかしげたヨアキムの前で、ジェフリーは黒いサングラスを外した。

「すり合わせをしよう。君はこの服を僕に買う。で、僕は君にシャネルを買う」

どう、と王子さまのように小首をかしげてみせても、ヨアキムは動じなかった。かわりにふんと鼻を鳴らした。

「……私はね、いきなり『オホホ』ってキャラにはなれないよ。シャネルを着ても同じ。脚《あし》は馬のまま」

「マドモワゼル・シャネルは『オホホ』なんて笑わなかったと思うよ。むしろニヤッと不敵に笑う人だったんじゃないかな。着てくれなくてもいいんだ。僕が買いたいだけだから」

ヨアキムは黙った。困らせるつもりはなかったので、これ以上何か言われたら諦《あきら》めようと、ジェフリーは思っていた。だが。

「ねえ、セイギ・ナカタくんって知ってる?」

返答は予想外だった。ジェフリーはむせた。こんな時に飛び道具のように名前が出てくるべき相手ではない。中田くんが何だって? と問い返せるようになった時には、既《すで》にヨアキムは会計を終えてしまい、パンク・リバイバルファッションを一式、くたくたのビニール袋にぎゅうぎゅう詰めにしたあとだった。石畳の街の上を、子どもたちが走り抜けていった。

「あなたのお父さまの葬儀があった時、ネームカードだけ交換したの。あの子から一つだけアドバイスを受けたんだけど、何を言われたか知りたい?」

「……………知りたいような知りたくないような、複雑な気分だ」

「『たくさん甘えてあげてください』って言われた」

ジェフリーは再びむせた。今すぐ中田正義に電話をかけて、ちょっと君キムに何を言ってくれたのと、冗談めかしながら本気で糾弾《きゅうだん》したかった。ハハハ、と笑顔の仮面をつけた時には、ヨアキムはもうジェフリーの顔を眺めていなかった。

「あなたは気遣い上手で優しいお兄さん役だったみたいだけど、やっぱりそれでも心配はかけてたのよ。いろんな人のバックアップ役をしてるのに、あなたのバックアップはいないしね」

「代替品のないビジネスパーソンなんて存在しないよ。そのための保険、そのための管理システムだ。うちの保険会社の商品に興味ある？」

「私は人間としての話をしてるの」

わかっていて茶化していたことを突きつけられて、ジェフリーは苦笑いを浮かべるしかなかった。そんなこと、と言いくるめてしまうことも不可能ではないし、それが今までの生き方だったが、ヨアキムを相手にしていると、その欺瞞《ぎまん》を鏡のように突きつけられる。そして『幸せを選んだ』ヨアキムに、再びそんな生き方を強要するのは、とてつもなく嫌だった。

きらきらの唇は、ジェフリーのすぐそばで動き続けた。

「強くなければ生きていけないけど、優しくなくても生きる資格はあるよ。私はそう思う。そうでなきゃ辛すぎるでしょ」

「………かもね」

「でもあなたにとってはそうじゃないんだよね。自分が恵まれた環境にいることをいつも心に置いてきた人だから。そういうところ好きだけど、すごく心配にもなる。私だけじゃないよ。だからあんな小さな男の子にも、『甘えてあげてください』なんて遠まわしな世話を焼かれるの。あなたの不器用さは、あなたが思ってるほど伝わりにくくはないってこと」

「何で君が僕に甘えると、僕の世話を焼くことになるのさ」

「あなた、甘えるより甘えられるほうがいい気分になるタイプじゃないの？」

ぐうの音も出なかった。勘弁してよとジェフリーがうなだれると、ヨアキムは笑った。

「たくさん甘えてあげるけど、スタイリストとしての給料は支払ってね。あなたとどれだけひどい喧嘩《けんか》の最中だとしても、服だけはいつだって最高のものを選んであげるから」

「最高だね。どんどん喧嘩しよう」

「そういう意味じゃないって」

「でも喧嘩したい」

それで仲直りがしたい、と。

ジェフリーが告げると、ヨアキムは聞き分けのない子どもを見守る母親のように、少しだけ口角を上げた。ジェフリーが微笑《ほほえ》み返すと、今度は満面の笑みを浮かべた。

「いいけど、私は手心を加えないよ。ズタボロになる覚悟をしてから挑んでおいで」

「大好き。キム、君が大好きだよ。君は僕の大事な人だ」

「ちょっとちょっとちょっと文脈がめちゃくちゃなんだけど」

「喧嘩売ってるんだよ。イライラしなかった？」

「あのねえ……」

ヨアキムはジェフリーの背中を叩き、いい加減にしなさいと窘《たしな》めた。少し頰《ほお》が赤かった。ちょっとは喜んでいるみたいだなと思いながら、ジェフリーはふと思い出した。

「ところで……さっき中田くんのことを、『あんな小さな男の子』って言ってたけど、キム、彼は何歳くらいに見えたの？」

「え？　せいぜい十八歳くらいじゃないの？」

もっと年下かと思ったけど、スーツ着てたし、と唇をとがらせるキムに、ジェフリーは笑いをこらえた。

ジェフリーが中田正義の実年齢を伝えると、ヨアキムは額に手を当て、二十世紀初頭の映画女優のように倒れ込むアクションをした。スキンケアは、スキンケアはどうしてるのと、うなされたような顔で呟くので、ジェフリーは声をあげて笑った。

「そんなにショックだった？」

「信じられない……そりゃ私だってね、この歳《とし》にしてはかなりツルツルのぴっかぴかよ。ご存じの通り努力してるもの。でも何なの……二十代半ば……？　詐欺《さぎ》じゃない……？ハアーッ。ヨアキムさん地味にショック」

「ほらキム、シャネルだよ。機嫌直して」

「あなたのリクエストに応《こた》えて来てあげたんですけど！」

「そうだね。そうだったね」

パリ一区、シャネルの旗艦店に入った二人は、あまい香水のかおりに迎えられ、一時間後、何の荷物も持たずに外に出た。ヨアキムはため息をついた。

「疲れた……お腹《なか》を壊した子とシフトを交代して、一晩中踊りくるった時より疲れた……」

「まあ、服選びってそういうものだよ」

「何でもいいから何か食べたい……ハンバーガーとか……」

「じゃあ最寄のマクドナルドを検索しよう」

「……ほんとにマクドナルドでいいの」

「君がいるならどこでもいいよ」

ジェフリーが携帯端末で地図情報を確認していると、ヨアキムがその端末の上に手を重ねた。夜空のようなきらきらしたブルーに輝くネイルを眺めたあと、ジェフリーはヨアキムの顔に視線を移した。

「どうしたの？」

「……私もね、同じだよ」

あなたがいるならどこでも。

ゆっくりと告げたあと、ヨアキムは笑った。

「さっきのマキシム・ド・パリにやっぱり行ってみたくなっちゃった。付き合ってくれる？」

「いいね」

「そのあとは画廊に連れていってほしいな」

「いいね」

「で、そのあとは決めてないから、適当に考えて」

「……わかった」

人の悪い顔でにっこりと笑ったジェフリーに、ヨアキムは不敵に微笑み返した。

十五分ほど経《た》ったころ、シャネルの店頭から、数え切れないほどの紙袋を提《さ》げた従業員たちが、ホテル・リッツに向かって、大量の購入品を運び始めた。

輝きのかけら

「何を見ているのですか、正義《せいぎ》?」

「ブログだよ。岡山県の中学校の理科部の。生徒さんが書いてるんだ」

「理科部……」

「谷本《たにもと》さんが顧問をしてる」

「ああ、彼女が」

学校の写真や、理科室の写真が添えられたブログ記事からは、元気な中学生の姿が浮かんでくる。俺は思わず頰《ほお》をゆるめていた。背後から覗《のぞ》き込んでくるリチャードは、さっきまで熱心にテキストしていた携帯端末を手放している。業務連絡ならば俺が書くと言ったのに、こういうのは気持ちの問題だとか何とか言って、専属秘書のついた今でも、メールの返信はほとんど自分でしている。本人がどうしてもやりたいというのならそれでいい。他の部分でサポートを頑張るまでのことだ。

シンガポールはニョニャ風の味つけにした野菜と魚のヘルシーディナーのあと、俺は社宅でリラックスしたひと時を過ごしていた。

今の俺の立場は、リチャード・ラナシンハ・ドヴルピアン氏の専属秘書である。今までとそれほど変わらないようでいて、こんなリラックスムードになれるまでには、それなりの紆余曲折《うよきょくせつ》があった。秘書になったからにはもう何でもやるから、もう一日二十四時間全部俺に任せてくれと、中田《なかた》正義は胸を叩きたかったのだが、リチャード氏は何か残念そうなものを見るような眼差《まなざ》しで俺を眺め、「最初からとばすと続かない」「己を知れ」と諭してくれた。もちろんそんなことを言われると俺は燃えてしまうので、宝石商の業務の手伝いはもちろん、スケジュール管理、アポイントメント準備、リフレクソロジーから各種グルメに至るまでこれでもかとリチャードの行動をサポートしたが、さすがに二週間ほどでバテた。

業務の遂行自体には全く問題がない。なさすぎるのだ。俺が支えようと支えまいと、リチャードの仕事には何の影響もないような気がしてならなかった。それどころか完璧な男を不必要に支えまくって、美しい図形に無駄な補助線を引いているような気疲れに一人ふりまわされていた。そして言うまでもなく、中田正義は押しかけ秘書である。役に立つから雇ってくれと、完璧無比な宝石商に自分を売り込んだのだ。役に立たなければ、雇ってもらう意味がない。

自信喪失、というか自己の存在理由を疑いそうになっていた頃、俺は唐突な電話を受けた。相手はヴィンスさんである。『専属秘書になりました』というメッセージを完全に無視されて以来の連絡である。

何だろう、ちょっと愚痴《ぐち》らせてくれたりするのだろうかと、淡い期待を抱いて応答すると、アメリカにいるヴィンスさんは、開口一番こう言った。

『どうですか。順調に絶望してますか』

端末を壁に投げそうになった。現在進行形で落ち込んでいる人間に向かって、絶望してますかとは何事だ。図星にもほどがある。俺が何も言えずにいると、ヴィンスさんはアニメに出てくる美形の悪役のような声で涼やかに笑い、やっぱりですねと涼やかな日本語で告げた。全部お見通しだったらしい。

『言っておきますけど中田さん、そういう気持ちを体験するのは、あなたが初めてじゃありませんからね』

「え？」

『そこでリチャードの情報を誰かに売り飛ばしたりすると、パーフェクトな俺の後輩のできあがりです』

「しませんよそんなこと」

『そうですね、もう買い手がいないか。まったく惜しい』

「何の話ですか」

そのあたりで電話口に子どもの泣き声が聞こえてきて、ヴィンスさんが慌《あわ》て始めた。初めて写真を見せてもらった時には、文字通り真っ赤な顔のあかちゃんだった彼の息子も、きっとむくむく大きくなっている頃だろう。俺と大して年は変わらないのにもう一児のお父さんになっている彼を、憎たらしく思いつつ俺は尊敬している。憎たらしく思いつつだが。

絶対誰かに相談したほうがいいです、一人でいると爆死します、という建設的かつ過激な伝言を残して、ヴィンスさんは回線を打ち切った。ありがたい先輩からのお言葉である。相談。中田のお父さんを除けば、俺の相談相手になってくれそうなのは、やはり一人しかいなかった。

リチャード。俺の上司。そしてある意味で俺の悩みの大本であるスーパーマン。

こんなことを相談するのは本当に申し訳ないんだけど、と俺が土下座せんばかりの勢いで談判すると、美貌《びぼう》の上司はどこか嬉《うれ》しそうな、ほっとしたような顔をしてくれた。そして俺に、おいしいロイヤルミルクティーをつくり、とっておきのお菓子と共に振る舞ってくれたあと、こう告げた。

「正直な話、いつ相談してくださるかと思っていました」

とは、どういうことか、もしかして中田正義は致命的なミスをしていたのかと俺が青ざめると、リチャードは穏やかに首を横に振った。金色の髪がはらはらと左右に揺れる。金細工の職人があみあげた極細の鎖でも、こんなに優雅に揺れはしないだろう。

「あなたはよくやっています。とても、よく、やっています」

「ですが何か勘違いがあるようにお見受けします」

「私を何よりも助けてくださっているのは、あなたという存在そのものです。スケジュール管理もリフレクソロジーも大変良いものではありますが、あなたの業務の本質ではない」

それはつまり、専属秘書とは名ばかりで、俺イコール『リチャードを応援するマスコット』みたいな役割になっているということではあるまいか。それは給料をもらうに値《あたい》する存在なのか。俺が焦ると、リチャードは待ち構えていたように嘆息した。

「『あなたがいる私』と『いない私』のパフォーマンスを比較するために、あなたをしばらくどこかにやって、私に一人で仕事をさせれば、ことはより明確になるかもしれませんね。しかしシャウルは、わざわざ仕事の効率を下げるような真似《まね》を決して許しはしないでしょう。あなたはマスコットというより、むしろ私という馬の燃料です。背筋を伸ばして、堂々としていなさい。道を間違えないように」

つまり俺は役に立ってる？　役に立ってるのか？　と捨てられた犬のような目をする俺に、リチャードはうんうんと頷《うなず》いてくれた。そして俺にジローとサブローを抱かせ、もふもふセラピーの時間をとらせたあと、びしりと指を立てた。

「とはいえ、そうですね、我々双方のために、業務内容をより一層明確にしましょう」

「明確に」

「ええ」

「……何でも屋みたいな秘書でありたいんだけどな、俺は」

「大学生でもあるまいに。まだそんなことを言っているのですか」

手厳しくも有能なリチャード氏は、その場でパソコンを立ち上げ、俺のなすべき業務を箇条書きにした。大体は俺がこの二週間にやっていたことだったのだが、それぞれの時間のスケジューリングが追加された。休み時間の規定ができたのだ。そして細かな仕事に関して「これはやってほしい」「これはやらなくていい」というすり合わせを行うと、あら不思議、俺とリチャードの間には雇用契約書ができあがっていた。目を輝かせる俺の前で、リチャードは嘆息していた。

「嘆かわしい。こんなことを言うのはおかしな話ですが、あなたが私ではない誰かに、専属秘書の売り込みをしなかったことは幸運と言うべきでしょう。ろくろく契約も交わさないうちに、有能さにつけ込まれて使い潰されるのが目に見えるようです」

「そこまで能天気じゃないと思うけどな。お前以外の誰かのために、俺はこんなに頑張れないよ」

「いいのだか悪いのだか……」

「そこは『いい』って言ってもらえると助かる」

「ではそういうことにしましょう」

そして俺たちの関係はいくらか簡潔になり、サクサク切り分けられた業務の消化も、円滑に行えるようになった。当たり前の話だが、ありとあらゆることを全力で頑張ろうとしても不可能で、多方面で高パフォーマンスを出すためには、逆説的だがやることを極力絞るしかないのだ。手あたり次第に何でもすいすい片付けてしまうようでいて、一人緻密《ちみつ》な計算を行っているリチャードの姿からは、出会って何年も経《た》っているというのに、まだまだ学ぶことが多い。

ミーティングを兼ねて、できる限り食事は一緒に、という取り決め通り、今日の夕食も一緒にとった俺たちは、仕事終わりののんびりタイムを過ごしていた。これといって特別な打ち合わせ事項はなかったので、あとは服を整えたり、お気に入りのブログを眺めたり、友達のギタリストの新曲を堪能《たんのう》したり。

公立岡山東《おかやまひがし》中学校の理科部のブログは、俺の密かな心のオアシスだった。

「いいよなあ。俺のいた中学には理科部なんてなかったけど、もしあったら、入ってみても楽しかったかもしれないなあ」

「鉱物学や地質学にかたよった『理科』の活動が多いようですね」

「気象学や天文学も扱ってるって。空の観測をしてるだろ。いやそれ以前に、活動主は中学生なんだから、そこまで専門的には考えなくていいんだよ。理科を楽しんでもらいたいって、谷本さんもこのブログの一番最初の記事に書いてたし。自分の小さい頃のことを思い出して考えてみたら、そういう活動のほうが……あー。今のはナシで」

「何故《なぜ》？」

宝石商は首をかしげていた。何故って。尋《たず》ねるまでもないだろうに。

「お前の子どもの頃は……俺の子どもの頃とも、この理科部の子たちとも、全然違っただろ。だからそういうことを言って考えてもらうのも、何か変な話だろ。ごめん。何年の付き合いになるんだって話だよな」

「お気遣いなく。と言ってもたびたびお気遣いくださるあなたには、定めし無駄な助言でしょうね」

「難しいんだよ、そのあたりは。あー、言うまでもないけどな、スーツを着てる時にこんな話はしないぞ」

「ステテコ姿の時にはすると」

「まあそうだな……いやこれは、サロンといってだな、スリランカの」

「誰にものを教えているつもりですか」

　お言葉いちいちごもっともである。俺が苦笑していると、リチャードはどこか、遠くを見るような目をした。思い出の中に目を凝《こ》らすような眼差しだ。

「……ティーンエイジャーの私は、あなたが思っているよりずっと子どもでしたよ」

　え？　と問い返すのは気が引けた。俺が想像しているティーンエイジャー、中学生くらいのリチャード。俺が知っているのは二十八歳以降のリチャードだ。だからその縮小版として考えてしまう。そういうものじゃないぞと言いたいのだろうか。それは、まあ、そうだと思うけれど。

「……でも、俺の中学時代に比べたら、ずっと大人だったと思うよ。間違いなく」

「どうでしょうね。きっとあなたには想像できないでしょう」

「かもしれないな。外見だけなら見たことはあるけど」

「は？」

「ほら、ジェフリーさんに写真を見せてもらった時にさ」

「いつ」

「初めてお前の実家に行った時の飛行機。で、その後何枚か転送してもらって、俺の端末に」

「…………あの馬鹿者《ばか》は一体何をしているのか」

「え？　あっ、ごめん！　無許可だったんだな！　本当にごめん……！　全部大切にしてたし、他の誰にも見せてないけど、消したほうがいいならすぐ」

「別にあなたが大事にしているというのならそれはそのままでも構いませんとだけ申し上げておきます。所詮《しょせん》は過去の幻ですので。しかしあの男には説教をくれてやらねばなるまい」

「あんまり厳しいことは言わないでやってくれよ……」

「自分の写真を秘密裏にやりとりされることに関して、全くいい思い出がありません」

「本当に悪かった！　土下座する」

「不要です」

今から電話します、と言って、リチャードはすぐ端末を取り上げ、何かのボタンを押していた。電話番号や過去の履歴をたどったのではなく、何かのショートカットに、ジェフリーの番号を登録していたようだ。

スピーカーホンモードにした端末を、木製のホルダーに立てかけて、リチャードは椅子《いす》に腰かけ腕組みをして脚《あし》を組んだ。喧嘩《けんか》を売っているような顔で、体が小刻みに揺れている。ああ本当に今のこいつは『オフ』モードなんだなと、俺は嬉しくなった。ジェフリーには災難かもしれないけれど。

コール五回目で、回線は通じた。

『はいもしもし。いつもニコニコ明るく元気なお兄ちゃんです』

「薄気味の悪い挨拶《あいさつ》は不要です」

どうもご無沙汰《ぶさた》してます、と俺も声をかける。ここで声を挟んでおかないと、二人きりの通話だと思われそうで、あとあと面倒だ。ジェフリーさんは少し寝ぼけた声であれえと言った。

『中田くんだ。お久しぶりです。ごめん、今ちょっと手が離せないから、代理人に代わります。三十秒で戻る』

いきなりの展開である。俺の後ろではリチャードが牡牛《おうし》のように鼻息を荒くしている。

嫌味をたれる気満々という感じだ。

次に回線に現れたのは、低くたおやかな声の持ち主だった。

『はいもしもし、ヨアキムです。おかけになった電話番号は現在……』

「あ、どうも、中田です」

『……あら日本のべべちゃん。ご無沙汰』

「今どこです?」

『タヒチ。いいでしょ』

べべちゃん。フランス語で『赤ちゃん』ということだろう。詳しいことは知らないが、ヨアキムさんは今、ジェフリーと一緒にバカンス中のはずだ。スリランカでの一件があって以来、ジェフリーは一年の半分くらいを『おつかれ休暇』に回すことにしたとかで、その間は世界中のリゾート地を飛び回っている。オンでもオフでも世界を飛び回ってしまうあたりに、なんとなくリチャードの仕事魔ぶりに通じるものを感じるが、とにかくいっぱい休んでほしい。

スリランカのホテルで、彼の秘密を知ってしまったあと、俺は一度ホテルで土下座をしたが、そんなことしなくていいんですよ中田くんと彼は笑い飛ばしてくれた。君のせいじゃないんだし、と。正論だ。正論すぎる。強いというか、強すぎる人だ。そうでなければいられなかったのだろう。だからもう、弱みを見せられる人と過ごす時間を少しでも増やしてほしいと思う。

『ジェッフィは今ケチャップのボトルと格闘中。これがなかなか開かない』

「ケチャップ?」

『ランチタイム中なんだけどね、フレンチフライをルームサービスで頼もうって話になったの。で、フレンチフライといえばケチャップでしょ。いいホテルだからディスペンサーじゃなくて、瓶《びん》ごとつけてくれたんだけど、これがもう固くて固くて! 氷河期から開栓されてないんじゃないかってくらい』

『開いたよ! キム! 見よ、勇者は帰る』

『はーい偉いねジェッフィ、えらいえらい』

『電話ありがと。代わるから食べてて』

ランチのお邪魔をしてしまったらしい。かけ直したほうがいいんじゃないかなと俺は視線を送ったが、リチャードはどこ吹く風である。そして地を這《は》うような声で端末に話しかけた。

「ジェッフィ、えらいですね。とても、えらい」

『あー。これは見えている地雷を踏まされる感じだね。どうしたの?』

「私の幼い頃の写真を正義に横流ししたそうですね。えらい。とてもえらい」

『今になってそんな件? そんな凍りつくような声で褒めないでよ。お兄ちゃんの背筋がツンドラに飛んじゃう』

「あなたは私のお兄ちゃんなどではない！」

ジェッフィ、私ポテト片付けちゃうからね、という間延びした声が受話器の向こうから聞こえる。リチャードの怒声はヨアキムさんにも届いているだろうに、全然心配されていないあたりに少しほっこりする。そのあとリチャードは、ポテトどころかメインも片付けられてしまいそうなくらいの説教をかまし、次はないと思えというマフィアのような啖呵《たんか》をきって、ぶっつりと回線を打ち切った。

整理運動のように、一度深呼吸をしてから、リチャードは呟《つぶや》いた。

「やれやれ。あの男がケチャップの瓶とは」

「え？　どういうことだ？」

「それは……非常に嫌味な話になる可能性がありますよ」

「どんと来い」

そしてリチャードは、過去クレアモント家で暮らしていた際の『ケチャップ』の扱いについて語った。

曰《いわ》く、イギリス料理に、『ケチャップ』を使うレシピはない。まあそれはそうだろう。ケチャップといえばアメリカのイメージである。そもそも呼び方が違う。『ケチャップ』ではなく『トマトソース』なのだ。

ゆえに、食卓にケチャップが出てくることはない。それもわかる。よしんばトマトソースが出てくることがあったとしても、それは既《すで》に開栓されている状態のもので、小さな器《うつわ》、それこそ資生堂《しせいどう》パーラーでカレーを注文した時に出てくるようなお洒落《しゃれ》な器に入った状態で供されるものである。

そして屋敷の外であっても、敷かれたレールの上を歩いている限り、ケチャップの開栓に縁のあるような料理と、ジェフリーの人生とは交わらない。

ゆえに、今までの人生において、リチャードはケチャップの瓶の蓋《ふた》を開けているジェフリーの姿を見たことがなかったという。

そういうものか。

「……一応確認するけど、お前は、ケチャップの蓋を開けたことが……？」

「先日オムレツに挑戦いたしました」

「あっ、ああっ、そうだったな、そうだった」

確かにあの時リチャードはケチャップの蓋を開けたはずだ。ただ開け方がよくなかったのだと思う。大変なことになった。キッチンが真っ赤に染まり、あちこちに甘いケチャップが広がって、ジローとサブローが千切れんばかりに尻尾をふって大喜びした事件は、俺の中でも記憶に新しい。

調味料の蓋一つとっても、人には人の歴史があるものだ。

「オムレツうまかったなあ」

「…………あれはオムレツではなかった」

「オ、オムレツ的な何かではあったよ」

「打ち捨てられた渚《なぎさ》に漂着した、スクランブルエッグの死骸《しがい》のようだった」

「そんなところにまで詩的な表現を使わなくたっていいだろ。ああ、夜食に何か食べるか？　サングリアのゼリーがあるぞ」

「今のところ結構です。それより」

リチャードは俺のラップトップを指さした。ブログの画面が開いたままである。

新しい記事が更新されていた。

「あれ、もう学校の時間じゃないだろうに、珍しいな」

「予約投稿機能を使っているのでは？　夕方に投稿したほうが、昼間よりも閲覧《えつらん》数が伸びるでしょう」

「今どきの中学生はすごいな……」

俺はラップトップの前に身をかがめ、新しく更新された記事に目を通した。子どもっぽくはしゃいだ文章ではなく、てにをはのしっかりした文章なので背筋が伸びる。

今回の更新は、ビスマスの実験で理科部の部員が増えたという報告だ。去年の春にも同じ実験をしたので、今年も同じシーズンに同じことをして、新入生歓迎会がわりにしたのだという。なかなかコアな歓迎式典だ。

あわせて更新されたのは、新しく入った部員さんの自己紹介記事のようだった。世界中に公開されているブログなので、もちろん実名など明かしていない。それぞれの部員は、ブログの中で使われる『理科部ネーム』というニックネームで呼称される。新入部員さんの理科部ネーム、つまりハンドルネームは——

おお。

「……びっくりした」

「どうしました」

「俺のことが書いてある」

「あなたのこと？」

新しく入った部員さんの理科部ネームは、『ルリさん』『ハリさん』『シャコさん』。これは七宝《しちほう》と呼ばれる仏教的な宝物のうち三つの名前だ。金、銀、真珠、珊瑚《さんご》と合わせて『七宝』。しぶい名前だなと思っていたら、何でもこれは二年生になった先輩の理科部ネームにあやかったものであるらしい。面倒見がよく、三人の女子理科部員さんに好かれているその人の名前は。

『ホウセキレイ』さんという。

ちょっと不思議で、きれいな響きの名前だ。『宝石』と鳥の『セキレイ』をくっつけた造語かと思いきや、『宝石』と『きれい』をくっつけた言葉だという。ちなみにその命名の理由は、『宝石商って素敵なお仕事だと思ったから』だそうだ。顧問の谷本先生の知り合いに宝石商がいて、などという個人情報は書かれていないが、わかる人間にはなんとなくニュアンスで伝わる内容だった。

ブログの結びの言葉を任された『ホウセキレイ』さんは、一年前、自分が理科部に入った時と同じように、新入部員さんにはわくわくしてほしいです、たくさんの新しい世界に触れて、みんなで『すごい』という気持ちをシェアしたいです、と綴《つづ》っていた。監修者、谷本。これは担当の先生が目を通しましたという、学校の決まり文句らしい。

「……このブログ、外部から書き込みはできないんだよな」

「未成年者の運営しているブログです。安全を優先するのならば妥当でしょう」

「だよな」

ブログにはコメントできない。だが『いいね』ボタンはある。各記事ごとにボタンがついていて、いくつ『いいね』されましたという評価は残るのだ。これは何だか、宝石を目《ま》の当たりにした人たちが、みんな『きれい』と呟くのと、どこか似ている気がする。

俺はいつものように、理科部ブログの記事に『いいね』ボタンを押した。

記事からわけてもらった、きらきら輝く宝石のかけらを受け取ったような気持ちが、少しでもお返しできますようにと、微《かす》かな願いを込めて。

【初出一覧】

結晶の姫君……書き下ろし
龍の季節……WebマガジンCobalt
楽しい日……サイン会参加予定者特典
エドワード・バクスチャーの数奇な半生……WebマガジンCobalt
悪魔を憐れむ歌……書き下ろし
Ca, c'est Paris……書き下ろし
輝きのかけら……書き下ろし

参考文献

『新編　中国名詩選』（２０１５）川合康三 編訳（岩波書店）
『漢詩を読む１』（２０１０）宇野直人・江原正士（平凡社）

※この作品はフィクションです。実在の人物・団体・事件などにはいっさい関係ありません。

集英社オレンジ文庫をお買い上げいただき、ありがとうございます。
ご意見・ご感想をお待ちしております。

● あて先
〒101-8050　東京都千代田区一ツ橋2-5-10
集英社オレンジ文庫編集部 気付
辻村七子先生

宝石商リチャード氏の謎鑑定

輝きのかけら

集英社
オレンジ文庫

2021年6月23日　第1刷発行

著　者　辻村七子
発行者　北畠輝幸
発行所　株式会社集英社
〒101-8050東京都千代田区一ツ橋2-5-10
電話【編集部】03-3230-6352
【読者係】03-3230-6080
【販売部】03-3230-6393（書店専用）
印刷所　図書印刷株式会社

ISBN 978-4-08-680388-5 C0193

集英社オレンジ文庫

辻村七子

忘れじのK
半吸血鬼《ダンピール》は闇を食《は》む

バチカンの下部組織に属し、闇の世界と
関わる仕事に就いていた友人が
意識不明の状態という報せを受け、
ガブリエーレはフィレンツェへ向かった。
詳しい事情を知る日本人と接触するが…？

好評発売中

【電子書籍版も配信中　詳しくはこちら→http://ebooks.shueisha.co.jp/orange/】